文史哲學集成

李添富著

晚唐律體詩用韻通轉之研究

文史哲出版社印行

晚唐律體詩用韻通轉之研究 / 李添富著. -- 初版. -- 臺北市 : 文史哲, 民85
面 ; 公分. --(文史哲學集成 ; 281)
ISBN 957-547-199-7 (平裝)

802.417

文史哲學集成 (281)

晚唐律體詩用韻通轉之研究

著　　者：李　添　富
出 版 者：文史哲出版社
登記證字號：行政院新聞局局版臺業字五三三七號
發 行 人：彭　正　雄
發 行 所：文史哲出版社
台北市羅斯福路一段七十二巷四號
郵撥〇五一二八八一二彭正雄帳戶
電話：三五一一〇二八
印 刷 者：文史哲出版社

實價新台幣二四〇元

中華民國八十五年十月初版

ISBN 957-547-199-7

晚唐律體詩用韻通轉之研究 目錄

第一章 緒論

第一節 律體詩合韻之緣起

文心雕龍聲律篇云：「夫音律所始，本於人聲者也，聲合宮商，肇自血氣，先王因之以制樂歌，故知器寫人聲，聲非學器者也；故語言者，文章關鍵（註一），神明樞機，吐納律呂，脣吻而已。」又云：「是以聲畫妍蚩，寄在吟咏，吟咏滋味，流於字句。氣力窮於和韻，異音相從謂之和，同聲相應謂之韻，韻氣一定，故餘音易遣。」人稟七情，感物吟志，宣諸文字，諧以聲響，乃成詩歌，是以詩歌必有韻也。

閻若璩曰：「百里不同音，千年不同韻。」由於時地變遷，語音隨之轉移；顧氏音論云：「五方之音，有遲疾輕重之不同。」陳第讀詩拙言云：「說者謂，自五胡亂華，驅中原之人入於江左，而河淮南北，閒雜夷言，聲音之變，或自此始。然一郡之內，聲有不同，繫乎地者也，百年之中，語有遞轉，繫乎時者也。」毛詩古音考亦云：「時有古今，地有南北；字有更革，音有轉移，亦勢所必至。」上古之時，韻書未作，詩人協韻，純依口語；然時代嬗變，地域轉移，音亦隨之遞轉，故後之視古，竟成扞閡；南之與北，亦若胡越；法言切韻序云：「吳楚則時傷輕淺，燕趙則多傷重濁；秦隴則去聲爲入，梁益則平聲似去。」於是在「欲廣文路，自可清濁皆通；若賞知音，即須輕重有異。」之理論下，韻書乃作。

韻書既作，詩人用韻，始有畛域；然而語音不斷遞轉，韻書則定而無變，是故韻書又與實際語音不相契合，爲合於實際語音系統以及詩文之需，韻書遂有同用、通用之例，以寬協韻；迨語音又變，同用、通用之例又不足以應詩歌文學之需，於是借韻、通轉之例，隨之興起。歐陽修六一詩話云：「泛人旁韻，乍還乍離，出入迴合，殆不可拘以常格。」謝榛四溟詩話云：「起句借韻，謂之孤雁出群。」又云：「盛唐諸公，用韻最嚴，大歷以下，稍有旁出者。」「宋人專重轉合，刻意精鍊，或難於起句，借用傍韻。」王世懋藝圃擷餘亦云：「首句出韻，晚唐作俑，宋人濫觴。」可知晚唐律體用韻，已越同用之範籬。

黃子雲野鴻詩的云：「韻有通轉，何也？音相同者謂之通，音不同者謂之轉，如一東通冬轉江是也。」錢大昕十駕齋養新錄云：「五言近體，第一句借用旁韻，謂之借韻。」錢木庵先生唐音審體云：「律詩始於初唐，至沈宋而其格始備。律者，六律也，謂其聲之協律也，如用兵之紀律，用刑之法律，不可犯也。」自唐以詩賦取士以來，詩律森嚴，官韻嚴格，不容科考士子有一字出韻；馬宗霍先生唐人用韻考云：「許敬宗雖有合用之奏，實與場屋功令無關，應試雖有文律之拘，亦非私人吟咏所守。」按馬氏據唐書選舉志考定許敬宗奏請合用窄韻乃在以詩賦取士之前，本爲駁斥廣韻同用之注出自許氏之說，然此適足證明許氏之時，雖無科場官韻之限，而士人賦詩，已苦於韻窄而有通用、合用之跡；亦即說明隋唐以降，音韻嬗變，韻書之與實際語音系統不相契合，於是通轉、借韻之例乃出。滄浪詩話云：「有律詩上下句雙用韻者，有轆轤韻者，有進退韻者。」又云：「有分韻、有用韻、有和韻、有借韻、有協韻、有今韻、有古韻。」更足以證明唐代律詩用韻，已非「如用兵之紀律，用刑之法律，不可犯也。」而律詩用韻，所以未能完全合律者，語音變異故也；亦即語音之變異，乃律體用韻通轉之緣由。

【附註】

註　一：關鍵二字，據范注補。

第二節　唐詩界說

滄浪詩話云：「論詩如論禪，漢魏晉與盛唐之詩，則第一義也；大曆以還之詩，則小乘禪也，已落第二義也；晚唐之詩，則聲聞辟支果也。」又云：「以時而論，則有建安體……唐初體、盛唐體、大曆體、元和體、晚唐體……。」嚴羽將唐詩劃爲三義五體，可說乃唐詩分期之濫觴，然所謂三義、五體，不過將唐詩作一概略區別而已，並未嚴格劃分時期。滄浪詩話又云：「盛唐人詩，亦有一二濫觴晚唐者；晚唐詩人，亦有一二可入盛唐者。」明高棅則根據嚴羽理論，將唐詩嚴格確分四期，即初唐（唐初至玄宗開元）、盛唐（自開元至代宗大曆）、中唐（自大曆至文宗太和）、晚唐（自太和至唐末）。唐詩品彙總敘云：

> 有唐三百年詩，眾體備矣。故有往體、近體、長短篇、五七言律詩絕句等製，莫不興於始，成於中，流於變而陊之於終。至於聲律、興象、文詞、理致，各有品格高下之不同。略而言之，則有初唐、盛唐、中唐、晚唐之不同；詳而分之，貞觀永徽之時，虞魏諸公，稍離舊習，王楊盧駱，因加美麗，劉希夷有閨帷之作，上官儀有婉媚之體，此初唐之始製也。神龍以還，洎開元初，陳子昂古風雅正，李巨山文章

宿老，沈宋之新聲，蘇張之大手筆，此初唐之漸盛也。開元天寶間，則有李翰林之飄逸，杜工部之沈鬱，孟襄陽之清雅，王右丞之精緻，儲光羲之眞率，王昌齡之聲俊，高適、岑參之悲壯，李頎、常建之超凡，此盛唐之盛者也。大曆貞元中，則有韋蘇州之雅淡，劉隨州之閒曠，錢郎之清贍，皇甫之沖秀，秦公緒之山林，李從一之臺閣，此中唐之再盛也。下暨元和之際，則有柳愚谿之超然復古，韓昌黎之博大其詞，張王樂府得其故實，元白序事務在分明，與夫李賀、盧仝之鬼怪，孟郊、賈島之饑寒，此晚唐之變也。降而開成以後，則有杜牧之豪縱，溫飛卿之綺靡，李義山之隱僻，許用晦之偶對，他若劉滄、馬戴、李頻、李群玉輩，尚能黽勉氣格，埒邁時流，此晚唐變態之極，而遺風餘韻有存者焉。

自高棅立論以來，明清文史學者多採之，然同時攻擊此說，以爲謬妄者，亦不乏其人，而以錢謙益攻擊最力，唐詩英華序云：

世之論唐詩者，必曰初盛中晚，老師豎儒，遞相傳述，揆厥所由，蓋創於宋季之嚴儀而成於國初之高棅，承譌踵謬三百季於此矣。夫所謂初盛中晚者，論其世也，論其人也。以人論世，張燕公、曲江世所稱初唐宗匠也，燕公自岳州已後，詩章悽惋，傳得江山之助，則燕公亦初亦盛；曲江自荊州已後，同調諷詠，尤多暮年之作，則曲江亦初亦盛。以燕公系初唐也，遡岳陽唱和之作，則孟浩然應亦盛亦初。以王右丞系盛唐也，酬春夜竹亭之贈，同左掖梨花，則錢起、皇甫冉應亦中亦盛。一人之身，更歷二時，將詩以人次耶，抑人以時降也（註一）。

王世懋則就唐詩風格加以駁斥，藝圃擷餘云：

唐律由初而盛，由盛而中，由中而晚，時代聲調故自必有不同；然亦有初而逗盛，盛而逗中，中而逗晚者，何則？逗者漸之變也，非逗故無繇變。如四詩之有變風變雅，便是離騷遠祖；子美七言七律之有拗體，其猶變風變雅乎？唐律之由盛而中，極是盛衰之介，然王維、錢起實相倡酬，子美全集，半是大歷以後，其中逗漏，實有可言，聊指一二，如右丞明到衡山篇，嘉州函谷磻溪句，隱隱錢劉盧李閒矣。至於大歷十才子，其間豈無盛唐之句。蓋聲氣猶未相隔也，學者固當嚴於格調，然必謂盛唐人無一語落中，中唐人無一語入盛，則亦固哉其言詩矣。

至於閻若璩則就詩人生卒年之先後，以論高棅分期之缺失，閻氏云：

張九齡卒於開元二十八年，孟浩然亦是年卒，而分初盛，何也？劉長卿開元二十一年進士，以杜詩年譜考之，所謂『快意八九年，西歸到咸陽』者，天寶五載，上溯其『忤下考功第，獨辭京尹堂』，當在開元二十六年、二十七年；縱甫登第於是時，

亦劉長卿之後輩矣，而分劉爲中，何也？（註二）

王世禎香祖筆記，亦於高棅唐詩分期有其見解，王氏曰：

宋元論唐詩，不甚分初盛中晚，故三體鼓吹等集，率詳中晚而略初盛，攬之憒憒。楊仲弘唐音始稍區別，有正音、有餘響，然猶未暢其說，間有舛謬。迨高廷禮品彙出，而所謂正始、正音、大家、名家、羽翼、接武、正變、餘響皆井然矣。獨七言古詩以李白爲正宗，杜子美爲大家，王摩詰、高達夫、李東川爲名家則非是，三家者，皆當爲正宗，李、杜均之爲大家，岑嘉州而下爲名家，則確然不可易矣。

按每一種文學體裁之發展，均有其一定之脈絡與途徑，三百年之唐詩，更有其發展之完整脈絡，若強爲劃定界限，將唐詩分成數不相連之段落，在理論上、實際上均不能成立，不僅唐詩，任何文學形式皆然；況高棅分唐詩爲初盛中晚，已融合其一己對唐代詩人之褒貶。然每一種文學之發展、沒落，與名家之有無有絕對之關連，大家之有無即此一文學體裁之盛衰，而根據此等盛衰變遷之趨勢，將某一時代之文學分爲數期，以便研究敍述，則有其必要。唐詩研究云：

唐詩的變遷發展，初唐顯然是齊梁的遺風；盛唐是新舊體詩發展的最高潮；中唐則由盛唐而一變再變，變到新體詩發展之極；晚唐則完全是唐新體詩最後的閃爍，顯然是唐詩的末運到了。簡單的說一句，唐詩的發展，固成整個脈絡，但把唐詩弄成了一根起盛變衰的波浪線，我們根據這種波浪線，而分唐詩爲四個時期，是無妨的；且爲明瞭唐詩發展的階級起見，爲敍述的便利起見，唐詩的分期亦是必要的。我們在下面分唐詩爲第一、第二、第三、第四四個時期，便是指明唐詩起盛變衰的脈絡，並非硬分唐詩爲幾片段。

胡氏此言，乃爲結束高棅以來唐詩分期之紛爭，並確立唐詩分期之意義與價值而發者也。

唐詩分期除高棅初盛中晚四期，較著者尚有數家，如陸侃如、馮沅君合著之中國詩史分唐詩爲李白、杜甫兩大時代——初唐至天寶前之詩歌，一概歸入李白時代，天寶後至晚唐一概歸入杜甫時代。胡適白話文學史定初唐爲白話詩時期，盛唐爲浪漫文學與寫實文學兩期。葛賢寧中國詩史亦分初盛中晚四期而年代則與高棅有異。李日剛中國文學史則併高氏之中唐於盛唐，故分三期。至於胡雲翼唐詩研究雖分唐詩爲四期，而於中國文學史一書則以爲唐詩應只分初唐、盛唐、晚唐三期，蓋因「把唐代中間一段發展脈絡一貫的詩史，強分爲盛唐與中唐二期，最無道理。」蘇雪林唐詩概論則分唐詩爲五期，即㈠唐初至開元初約九十年，爲繼承齊梁古典作風時期。㈡開元初至天寶安祿山之亂，約四十餘年，爲浪漫文學隆盛時期。㈢自天寶大亂後至長慶之際，約六十餘年，爲寫實文學誕生時期。㈣自長慶末至大中末，約三十餘年，爲唯美文學發達時期。㈤自咸通初至天祐三年，約四十餘年，爲唐詩衰頹時期。

上述諸家於唐詩分期，雖各持己見而互有短長，然則不能論斷其是非，蓋因詩文之興衰變化，乃逐漸完成者，不能劃定界限以某年某月；故高棅所謂「辨盡諸家，剖析毫芒」，不免過當，是以招來駁斥。其實，誠如胡雲翼所言，分唐詩爲數期，但爲便於敍述、研究，故於唐詩之分期，有一概略之認識即可，不必苛細考核。個人以爲高棅初盛中晚四期分法，脈絡分明，條理清晰，較以派別、詩風分期者爲優。本篇以晚唐律體爲研究範圍，所論乃自文宗開成元年起至唐末止；詩家有跨中晚兩唐者，依一般文學史定之。

【附註】

註　一：胡雲翼唐詩研究作「將詩以人次耶，將人以詩次耶。」——見唐詩研究頁三十五。

註　二：引自胡雲翼唐詩研究頁三十五、三十六。

第三節　晚唐律體詩韻之研究價值

王力漢語史稿云：「歷代韻文本身對漢語史的價值，並不比韻書、韻圖低些。」又云：「切韻以後，雖然有了韻書，但是韻書由於拘守傳統，並不像韻文（特別是俗文學）那樣正確地反應當代的韻母系統。因此，我們有必要研究唐詩、宋詞、元曲的實際押韻，來補充和修正韻書脫離實際的地方。」古代漢語云：「近體詩用韻的要求很嚴格，無論律詩、長律或絕句，都必須一韻到底，而且不許鄰韻通押（註云：早期近體詩格律未嚴，有的作家偶爾也用鄰韻通押）。」又云：「唐代產生的近體詩，押韻位置是固定的……無論律詩或絕句，首句可以用韻，也可以不用韻。」「如果首句入韻時，詩人却往往借用鄰韻字來作爲首句的韻腳，這種做法，中晚唐漸多，到了宋代，甚至成了風氣。」又云：「固然律詩用韻比切韻的韻部要寬些，但那只是範圍的大小問題，從整個系統來看，還是大致不亂的。」（註一）由此可知雖然律體格律森嚴，不容出韻、落韻，然因韻書與實際語音不能契合，於是鄰近通轉、首句借韻之法生焉。而通轉、借韻之運用，正值律體甫告發展完成之唐代，故有其時代意義與研究價值。

汪師韓詩學纂聞云：「律詩通轉，自唐已然。」謝榛四溟詩話云：「大歷以下，稍有旁出。」又云：「李師中送唐介，錯綜寒山兩韻，謂進退格，李賀已有此體。」黃朝英緗素雜記云：「鄭谷與僧齊己、黃損等，共定今體詩格云：凡詩用韻有數格，一曰葫蘆，一曰轆轤，一曰進退。」吳喬圍爐詩話云：「平水韻視唐韻雖似寬，而葫蘆等諸法俱廢，則實狹矣。」王世懋更云：「晚唐作俑，宋人濫觴。」可知律詩格律至晚唐發展完備之餘，詩人用韻，往往逾越，且有各種逾越韻書格律之法，故晚唐律體詩韻，有其研價值。

高師仲華小學論叢云：「中國聲韻學裡所謂今音，指由魏晉至唐宋這一段所謂中古時代的字音。這一段時間是中國歷史上最動亂的時代，尤其南北朝時，北方變成了五胡的天下，胡音滲入了北音，而衣冠南渡，北音又滲入了南音；所以這個時期字音的變遷最大，也最複雜。」葉師慶炳則云：「唐詩四期之分，原爲詩歌史上之名詞，然亦可用以表示政治情形。」按時代愈是動亂，民族移徙、融合愈是容易，而語音之變化亦愈大，自五胡亂華以來，中原語音大變，隋唐以降，天下承平，百姓商旅往來日繁，尤以都會所在，詩人縉紳，五方雜處，於是諸音輻輳，嬗變生焉；及唐末五代，天下又亂，胡華交流，南北溝通，語音又變；語音既變，詩人用韻，自亦隨之轉變，於是唐末詩韻，又有其研究價值。

歷來詩話、韻書皆以爲律體之借韻、途轉，但限鄰韻或發聲相近之韻，且借韻、通轉必於首句而後可行；然據王力中國詩律研究、馬宗霍先生唐人用韻考觀之，則不必然；耿志堅先生宋代律體詩用韻之研究，顯示宋代律體通轉、借韻亦不限於首句；余不敏，每於律體用韻有疑，乃從師命，製成晚唐律體詩用韻通轉合韻譜，欲就其通轉、借韻之跡，探究晚唐五代語音系統以及律體用韻之眞際，並藉以明瞭韻書所注通轉之緣起。

【附註】

註　一：古代漢語云：「唐代詩人雖然不是依照平水韻用韻的，但是我們既然依照同用獨用的規則，那麼平水韻正可以用來說明唐人的用韻。」按馬宗霍音韻學通論據玉海判定廣韻同用、獨用之註，係出自丘雍而非許敬宗，然許敬宗已有奏請同用之議，亦即許氏當時詩韻已有合用之跡，故許氏奏請同用之；按丘雍註同用獨用之例，可能根據許氏之奏，或根據對唐宋詩人合韻情形考定之結果；而不論丘雍所據爲何，皆無損於唐人合韻之準則。迨經宋元詩人韻家試驗製定，平水韻於是完成。因此，唐人所用雖非平水詩韻，而平水詩韻確自唐人詩韻歸納演變而來，故今以平水詩韻論唐詩，雖本末非是而無損也。

第二章　晚唐律體詩韻合韻譜

一、凡　例

一、本篇所謂律體，係指五、七言律、絕而言，亦即唐代所謂新體詩者。

二、本篇取材，以宏業書局清聖祖御製新校標點本全唐詩爲主，輔以復興書局影印曹寅刊刻本及各家別集。

三、本篇所定時代，係承第一章第三節推論，採用高棅初盛中晚四期分法，定文宗開成以後爲晚唐。

四、本篇詩家取捨，據四唐分法決之，有跨越中晚唐者，依一般文學史定之。

五、本篇爲確切瞭解唐末語音變化及唐宋之間語音之演化，舉凡五代詩人全唐詩蒐錄者，一併列入。

六、本篇取材，僅及平聲。一者上去入三聲語音變化與平聲同，再者歸納晚唐律體通轉情形，上去入三聲但得十餘首，故略之。

七、本篇之韻目，依佩文韻府爲準。分上平聲、下平聲二部分。目次之排列，以一東爲建首，終於下平十五咸。

八、韻字或一字同屬二韻者，視本義定之，本義既同而分屬二韻，則兩置之，不視爲出韻。

九、凡題目過長者，酌加刪節，以期簡明。

十、凡可疑之作，不能判爲律體者，概不錄入。

十一、本篇所謂正韻譜，係指非首、末句韻腳有通轉現象者；通韻譜係指首、末句韻腳通韻，歷來學者以爲出群、入群，可不視爲出韻者。

十二、韻論之節次，依合韻韻目相鄰，且爲多數詩家常用者爲準，凡屬方音之顯見者，或三韻之互叶，附於篇目之內，不爲之單獨立目。

十三、每韻之擬音，以國際音標爲準，韻字擬音之有取於方音者，多從漢語方音字匯及高本漢方言字彙，方音字匯等不載者，則依同省相鄰之音參考定之。

十四、作者之里籍、人物順次，從全唐詩，全唐詩不載者，依一般文學史、文學家大辭典、人名大辭典等定之，凡年代、姓名、里籍不可考者，從略。

十五、里籍表所示地名，以用韻有通轉現象者始錄之。

十六、凡有可疑而不可考者，今亦從蓋闕。

二、合韻譜

上平聲

一東韻

韻字表

東冬合韻譜

正韻譜

〔李商隱〕功封*中叢蓬少年

功風嵩東中穹聾桐躬熊工曨通農*童戎聰同弓東籠公宗*空融終紅恭*衷烘蒙蟲雄礲楓鴻蓬翁宮窮今月二日以詩一首四十韻干瀆尊嚴復獻五言四十韻

重*縫*通紅風無題二首之一

〔劉得仁〕風空紅農*中晚夏

〔李群玉〕中風空蓬窮通終聾鴻聰叢蹤*東松*琮*龔*龍*雍崇嵩鍾*融功封*始忝四座奏狀授官呈同館諸公二十四韻

〔儲嗣宗〕龍*宗*空風蟲過王右丞書堂之一

〔許　裳〕筇*中鍾*同翁尋山

〔唐彥謙〕東中桐蓬蛩*蒙菘翁移莎

〔韓　偓〕蜂*叢蜻蜓

〔劉　兼〕容*蹤*風紅宮新蟬　窮同龍*風濛登郡樓書懷之二

〔魏兼恕〕農*功中驄送張兵曹赴營田

〔齊　己〕空中宗*紅叢送中觀進公歸巴陵

〔呂　巖〕宗*龍*宮童五言之十一

通韻譜

〔許　渾〕重*空風中東恩德寺

〔李商隱〕濃*鴻風同空奉和太原公送楊戴兼招楊戎

松*翁功四皓廟

〔喻　鳧〕峯*同風中躬上高侍御

〔趙　嘏〕重*風中寄梁佾兄弟

〔于興宗〕松*風中東陽涵碧亭

〔韓　琮〕濃*紅風中空牡丹

〔李群玉〕宮空風公中逢*昇仙操

〔溫庭筠〕龍*紅東中風和杜少卿東都修行館有嘉蓮

〔段成式〕中風龍*和張希復詠宣律和尚袈裟

〔皮日休〕龍*中風筒通魯望以竹夾膝見寄因次韻酬謝

重*公中風功寄滑州李副史員外

冬*空紅籠公初冬偶作寄南陽潤卿

〔陸龜蒙〕龍*中風筒通以竹夾膝寄贈襲美

冬*空紅籠公和襲美初冬偶作寄潤卿次韻

宗*通東風公和襲美送內大德從勗遊天台

〔周　繇〕峯*中通空風翁公送江州薛尚書

〔張　喬〕峯*窮空中風題終南山白鶴觀

〔李山甫〕峯*同窮風中早秋山中作

〔胡　曾〕龍*空風東山　兇*空宮咸陽

〔羅　隱〕宗*同風通雄魏博羅令公附卷有迴

宗*同風通雄寄酬鄴王羅令公

〔羅　虬〕墉*中宮比紅兒詩之六九

〔翁　洮〕重*風紅空公秋

〔鄭　谷〕濃*中風江山阻風

〔崔　塗〕功空同中松*秋夕與友人同會　松*宮風同中興善寺與人期不至

〔韓　偓〕儂*中紅烘翁此翁　封*叢紅融胸*余作探史以繚稜手帛子寄賀

〔吳　融〕溶*空紅風中秋池

〔杜荀鶴〕宗*風中同公投從叔補闕

〔韋　莊〕重*中空嵩紅北原閒眺

〔崔道融〕風慵*銅雀妓之一　龍*中功過隆中

〔裴　說〕峯*同空風中寄贈尚顏　烽*中空亂中偷路入故鄉

〔周　曇〕宗*攻戎祭足　龍*躬公哀公再吟　庸*攻雄中山君　龍*空翁梁武帝

〔胡　宿〕鐘*宮風空聰天街望曉

〔和　凝〕龍*風中宮詞之六十　重*中同宮詞之六九

濃*風紅宮詞之八六　慵*籠風宮詞之八九

〔李　中〕濃*中風夏日書依上人壁　濃*通紅春苔　濃*中翁風向題胡參卿秀才幽居
〔徐　鉉〕從*公宮中風迴至瓜洲獻侍中
〔劉　兼〕中風龍*中夏晝臥
〔曹脩古〕蓉*紅風池上
〔劉　望〕蹤*同空中風九疑山
〔無名氏〕濃*空中宮詞
〔貫　休〕庸*同通紅功送劉相公朝覲
〔齊　己〕峯*風空紅中苦熱　重*窮空同紅遊三覺山
容*終中鴻空歲暮江寺住　冬*公紅通空重宿舊房與愚上人靜話
松*同風中空庭祭新移松竹　峯*空中寄南嶽泰禪師　峯*紅中放猿
〔棲　蟾〕濃*叢風紅中游邊　溶*宮風紅蓬再宿京口禪院
〔蔣貽恭〕恭*同中謝郎中惠茶
〔崔　櫓〕慵*中風空紅和友人題薔薇花之

二冬韻

韻字表

冬東合韻譜

正韻譜

〔薛　逢〕溶中*松舂慵五峯隱者

〔韓　琮〕慵封逢蹤鋒松馮*蜂容重蛩蓉秋晚信州推院親友責無書寄答

〔李群玉〕鋒聰*峯勸人廬山讀書

〔唐彥謙〕逢濃空*重風*道中逢故人

〔鄭　谷〕馮*容封逢松濃蛩墉衝蹤慵峯重鍾敍事感恩上狄右丞

〔李　洞〕通*中*鐘峯松送張喬下第歸宣州

〔劉　兼〕重慵龍蒙*風*晝寢

〔子　蘭〕紅*中*容舂從華嚴寺望樊川

〔呂　巖〕風*慵紅*重峯七言之一〇〇　鐘松風*同*龍七言之一一二

通韻譜

〔李商隱〕公*峯松憶住匡師　中*峯松龍蹤井絡

〔項　斯〕東*逢鐘峯容漢南遇友人

〔于武陵〕東*重蹤逢松寄友人

（許　棠）中*宗容松峯贈志空上人

（陸龜蒙）功*重鍾龍峯奉和襲美開元寺佛鉢詩

（司空圖）雄*春峯白菊雜書之四

（來　鵠）空*重峯雲

（李咸用）風*逢重鍾慵送曹稅

（胡　曾）空*蹤重陽臺　中*龍逢葛陂

（方　干）功*重峯送水墨項處士歸天台

（羅　鄴）中*茸蹤逢重芳草

（鄭　谷）風*松峯濃容竹

（許　彬）東*逢鐘峯容漢南懷友人

（韓　偓）通*蹤龍寶劍　公*松龍雷公　風*蹤濃松濃草書屏風

（杜荀鶴）通*重容濃峯寄舍弟

（鄭　準）中*容濃逢重江南清明

（黃　滔）風*慵龍供峯寄楊贊圖學士　中*從逢東林寺貫休篆隸

（徐　夤）空*從龍笻逢西寨寓居之二　功*峯龍烽松寄華山司空之一

〔曹　松〕空*峯龍重逢洞庭湖

〔唐　求〕中*峯鐘逢重舟行夜泊夔州

〔周　曇〕功*恭兇虞舜　功*封蹤鄺侯　窮*龍邛蜀先主

〔李　中〕宮*茸鐘峯筇江次維舟登古寺　中*逢封吹笛兒

〔詹敦仁〕風*重封留侯辟予爲屬以詩謝之

〔譚用之〕鴻*龍邛慵封感懷呈所知

〔孫元晏〕中*慵容謝朏

〔安　錡〕恭宗儂忡*題賈島墓

〔何　贊〕中*容峯松龍書事

〔張仲謀〕空*重龍題播口

〔驪山遊人〕宮*重松題故翠微宮

〔花蕊夫人〕紅*容鐘宮詞之四八

〔貫　休〕蟲*容舂歸東陽上杜使君之三

〔齊　己〕紅*重逢蜂從濃蹤慵容蝴蝶　空*松重峯蹤寄清溪道友　東*濃峯松蹤寄雲蓋山先禪師
中*峯松蹤鐘寄廬岳僧　風*蹤峯重容東林寄別修睦上人　空*峯松鐘容移居西湖作之

〔呂　巖〕功*龍峯絕句之十五

三江韻

韻字表

江陽合韻譜

通韻譜

〔杜　牧〕光*降雙摐江寄唐州李玭尙書　香*缸雙九日

〔皮日休〕鄉*雙窗缸江南陽廣文欲於荊襄卜居

〔陸龜蒙〕鄉*雙窗缸江南陽廣文荊襄卜居次韻

〔羅　鄴〕香*雙江陳宮

〔徐　夤〕鄉*雙江杏園

江覃咸合韻譜

正韻譜

〔呂　巖〕三*。巖降江雙七言之四二

四支韻

韻字表

支微合韻譜

正韻譜

〔方　干〕衰移枝肥*期謝王大夫奏表

〔韓　偓〕薇*時幃*持枝遲詩寒食日雨中看薔薇

〔崔道融〕絲飛*漓溪上遇雨之一

〔貫　休〕師知扉*時池海覺禪師山院

通韻譜

〔杜　牧〕衣*墀時知旗洛中監察病假滿送韋楚老拾遺歸朝　兒眉妃*題木蘭廟

〔許　渾〕飛*姿時枝誰殘雪　歸*知時披辭送人之任邛州

〔李商隱〕歸*期規三月十日流杯亭　饑*祠羆時兒過故府中武威公交城舊莊感事

〔劉得仁〕宜時移違*寄春坊顧校書　非*移爲師疑送車濤罷舉歸山

〔姚　鵠〕闈*岐時枝池及第後上主司王起

〔馬　戴〕歸*遲時送僧二首之一

〔薛　能〕違*知時隋辭下第後夷門乘舟至永城驛題

〔段成式〕闈*知祠題商山廟
〔霍　總〕翬*雌隨時知雉朝飛
〔林　寬〕飛*遲時聞雁
〔皮日休〕衣*時知蜞持病中海蟹轉寄魯望
〔陸龜蒙〕肥*滋肢自遺之三十　飛*旗池照夜白
〔司空圖〕衣*卑遲枝期贈圓昉公　機*時知洛陽詠古
〔李咸用〕稀*時遲知兒秋望　飛*知池枝遲秋夕書懷寄所知
〔胡　曾〕機*時知洛陽　歸*旗夷長安
〔方　干〕衣*岐時思眉客行　飛*時澌遲漪題仙巖瀑布　歸*時枝蜀中　機*奇枝時知贈進士章碣
〔羅　鄴〕扉*悲思時疑詩冬日呈棲白上人
〔羅　隱〕稀*宜垂簾之二
〔牛　嶠〕飛*欺伊楊柳枝之四
〔章　碣〕稀*時詩兒期癸卯登高會中貽同志
〔唐彥謙〕闈*儀枝賀李昌時禁苑新命
〔鄭　谷〕衣*卑遲枝期贈圓昉公　圍*茨欺遲悲峽中寓止之二　機*枝眉貧女吟

衣*儀時遲知寄同年禮部趙郎中
違*誰卑時池自貽　闈*詩維時知右省補闕張茂樞酬寄
〔韓　偓〕依*遲慈侍晏　違*眉時枝池宮柳　薇*兒池羅遺余臥疾深村　衣*知墀岐枝鵲
璣時詞詩墀同年李郎中赴行在
〔吳　融〕飛*時遲熙絲上巳日花下閒看
〔杜荀鶴〕歸*期時之茲江上與從弟話別　衣*垂時遲師出關投孫侍御　肥*宜時疑期閒居即事
稀*時誰讀諸家詩　飛*時飢鸕鶿　衣*時詩私悲經賈島墓
〔韋　莊〕非*詩棋窺基長年　歸*湄枝合歡蓮花　衣*遲詞吹披使院黃葵花
〔黃　滔〕暉*遺棋遲師題友人山齋　歸*棋時題靈峯僧院
〔徐　夤〕歸*時枝衰期再幸華清宮　非*卮期辭知斷酒　歸*儀飢師絲寄盧端公同年仁烱
微*時遲追吹北　機*披旗蕉葉
〔崔道融〕畿*遲疑闕下　飛*遺時題李將軍傳
〔曹　松〕衣*時遲髭詩薦福寺贈應制白公
〔裴　說〕扉*凝時絲詩冬日後作
〔周　曇〕機*兒知趙簡子　機*師時魯仲連　非*危知胡亥　非*奇宜明帝

依*枝移魏博妻　歸*悲誰苻堅

〔李　建　勳〕微*期嗤池枝疑差窺湄歸燕詞

〔李　中〕飛*墀時思瀰懷舊夜吟寄趙杞　機*池師訪章禪老

〔徐　鉉〕歸*髭時春盡日贈劉起居

〔詹　敦　仁〕非*悲棋思枝勸王氏入貢寵

〔楊　夔〕扉*時危籬知尋九華王山人

〔劉　兼〕菲*池時枝怡宴遊池館

〔孫　元　晏〕肥*師棋謝玄　稀*姿知衞玠　畿*旗知新亭　飛*姿知後庭舞

〔同　谷　子〕依*怩追五子之歌之五

〔花　蕊　夫人〕衣*匙遲宮詞之四九　飛*時遲宮詞之五十　飛*絲詩宮詞之五四

歸*時詩宮詞之六十　衣*詞墀宮詞之九二

〔魚　玄　機〕期離飛*送別

〔常　達〕機*師衰移枝山居八咏之五

〔貫　休〕衣*詩遲知垂覽李秀才卷　畿*詩知兒垂懷劉得仁　扉*詩疑知池偶作

微*隨誰時伊早秋即事寄馮使君

非*爲知禪師　衣*師知遲時送劉相公朝覲之一　飛*之疑送少年禪師之一

衣*知兒送少年禪師之二　歸*墀爲遲伊春遊涼泉寺

〔齊　己〕微*思岐枝時懷從弟　飛*絲龜誰籬湖上逸人　衣*規時枝池中秋月

機*師詩差時寄尚顏

〔尚　顏〕衣*離時資詩將欲再游荊渚留辭司徒

〔棲　蟾〕扉*頤時垂詩居南嶽懷沈彬

〔呂　巖〕飛*時期宿州天慶觀殿門

〔妙　香〕輝*垂姿青蘿帳女贈穆郎

〔劉昭禹〕非*知誰詩髭仙都山留題

支微齊合韻譜

正韻譜

〔劉　兼〕稀*媸雞。知之倦學

支齊合韻譜

正韻譜

〔劉　兼〕時溪*悲籬疑秋夕書懷之二

通韻譜

〔陸龜蒙〕堤*知芝新沙

〔李建勳〕西*期遲時衰閒出書懷

〔徐鉉〕泥*梨時遲宜贈陶使君求梨 谿*絲時知思謫居舒州

〔呂巖〕圭*知龜基爲七言之二六

支麻合韻譜

通韻譜

〔李群玉〕花*飢枝儀窺知時別狄佩

五微韻韻字表

微支合韻譜

正韻譜

〔杜牧〕飛歸圍依稀菲肌*暉非衣爲人題贈二首之二

〔來鵠〕衣奇*飛鸎䳌

〔羅鄴〕遲*歸危*肥違東歸

〔羅　虬〕璣兒*幃　比紅兒詩之二一
〔常　達〕危*機移*微微　山居人詠之六
〔呂　巖〕知*飛微芝*機　七言之九六

通韻譜

〔杜　牧〕兒*歸飛　朱坡絕句三首之二　池*薇衣　齊安郡後池絕句　眉*飛衣稀歸　閨情
〔許　渾〕旗*飛歸衣霏　題衛將軍廟　詞*飛歸暉衣　聽歌鷓鴣辭
〔劉得仁〕池*飛歸機微　宣義池上
〔馬　戴〕悲*衣歸微稀　答鄜時友人同宿見示
〔孟　遲〕追*歸非機依　寄浙右舊幕僚
〔李群玉〕池*稀時輝歸　寶劍　飢*歸飛　太庾山嶺別友人　陂*飛歸　南莊春晚二首之一
〔劉　駕〕岐*違歸　春夜之二
〔劉　滄〕危*扉微歸衣　題天宮寺閣　旗*歸飛微依　從鄭郎中遊東潭
〔李　頻〕時*扉歸妃衣　寄遠
〔崔　珏〕時*依稀衣歸　和友人鴛鴦之什之二
〔于武陵〕枝*衣歸飛稀　客中

〔高　駢〕知*歸衣閨怨

〔于　濆〕枝*稀歸對花

〔武　瓘〕枝*稀歸感事

〔皮日休〕絲*磯歸肥依西塞山泊漁家　飴*稀衣飛妃奉酬魯望見荅魚牋之什
旗*歸妃肥飛送潤卿還華陽

〔陸龜蒙〕絲*機衣溪思雨中　棋*飛歸送棋客　攲*微衣簾

〔李咸用〕枝*歸磯微飛投所知　期*違稀微非和友人喜相遇之八

〔胡　曾〕陂*機歸驌驦陂

〔方　干〕時*飛衣扉歸秋晚林中寄賓幕　疑*稀歸飛衣送吳彥融赴舉
時*稀飛衣磯陪李郎中夜宴　誰*衣歸君不來

〔羅　鄴〕遲*飛歸衣機春閨

〔羅　隱〕兒*歸飛肥機覽晉史　麾*畿衣飛歸送霅川鄭員外　期*違緋感弄猴人賜朱紱

〔羅　虬〕奇*輝衣比紅兒詩之七四

〔翁　洮〕吹*稀歸非漁者

〔鄭　啓〕時*飛歸非微鄧表山

〔章　碣〕遲*違飛稀歸長安春日
〔唐彥謙〕宜*機歸奏捷西蜀沱江驛　枝*暉飛初秋到慈州　時*霏稀衣磯西明寺威公盆池新稻
時*微飛衣歸鸂鶒
〔鄭　谷〕離*歸飛東蜀春曉
〔韓　偓〕時*機飛違微天鑒　知*依飛歸磯漢江行次　悲*衣飛違機避地寒食
時*輝歸依飛離家第二日寄兄弟　脂*衣妃遙見　疑*機歸不見
〔吳　融〕枝*飛磯溪邊　基*暉飛歸衣過澠池書事
〔杜荀鶴〕吹*衣機飛歸書事投所知　時*飛歸衣微秋日泊浦江
之*歸非磯衣亂後逢李昭象敘別　知*違歸稀闈下第東歸將及故園有作
〔韋　莊〕遲*菲暉飛歸春日　離*飛衣圍歸覲軍回戈
祠*威機稀圍題淮陰侯廟　陂*肥飛稻田
詩*暉飛衣歸題袁州謝秀才所居　旗*微衣歸依東陽贈別
籬*飛肥歸磯題汧陽李學士別業　遲*歸飛買酒不得
〔張　蠙〕涯*歸衣飛機喜友人日南回
〔黃　滔〕奇*稀歸微衣送翁員外承贊　墀*衣飛微歸奉和翁文堯蒙恩賜金紫

〔徐　夤〕洟*衣稀歸機經故廣平員外舊宅　離*飛歸機衣覽柳渾汀洲採白蘋之什

吹*薇飛初夏戲題

〔崔道融〕枝*菲圍梅　時*依歸寒食客中有懷

〔劉　象〕岐*違歸春夜之一

〔楊凝式〕池*非飛題懷表酒狂帖後

〔曹　松〕期*微歸飛輝江西逢僧省文之二

〔李　洞〕枝*微飛闈輝送卻先輩歸覲華陰　枝*霏歸冬憶友人

〔于　鄴〕岐*依歸稀非書懷

〔周　曇〕危*圍歸襄子　危*揮機張孟譚　飢*肥飛趙孝

奇*依歸魯肅　兒*妃暉齊廢帝東昏侯

〔和　凝〕時*衣飛宮詞之四四　癡*飛衣宮詞之五三

〔韓熙載〕枝*歸衣書歌妓泥金帶之一　湄*衣飛之二

〔李建勳〕遲*稀歸霏衣醉中惜花更書諸從事　期*歸飛幃稀蝶

枝*歸衣竹

〔沈　彬〕知*歸衣結客少年場行　悲*歸衣弔邊人

〔伍　喬〕*期依稀衣歸冬日道中

〔李　中〕*絲扉幃歸磯衣稀飛肥秋雨　*墀稀磯歸飛獻張拾遺　*時微衣暉稀獻中書湯舍人

〔徐　鉉〕*之譏衣微歸避難東歸和黃秀才

〔成彥雄〕*池歸衣柳枝辭之八

〔王　元〕*奇違衣稀歸哭李韶

〔劉　兼〕*漪歸飛微磯對雨　*枝衣飛輝歸宣賜錦袍設上贈諸郡客

*詞違歸稀機偶聞官吏舉請寄從弟

〔孫元晏〕*知稀歸袁粲　*知飛歸虞處士

〔無名氏〕*枝飛歸粉牋題詩　*眉衣歸艷歌

〔花蕊夫人〕*時飛衣宮詞之二四　*旗飛衣宮詞之三七

〔崔素娥〕*岐依歸別韋洵美詩

〔嚴續姬〕*枝歸衣贈別

〔子　蘭〕*時歸非鸚鵡

〔貫　休〕*岐扉衣霏歸遊靈泉院　*怡機飛暉歸過相思嶺　*時磯歸飛衣釣罾潭

*敧扉歸暉稀山居詩之十五

〔齊　己〕時飛歸微衣*送朱侍御歸閬州　詩機歸微飛*貽惠暹上人
知衣非機歸*贈樊處士　時薇機飛暉*將歸舊山留別錯公
〔尙　顏〕詩依歸飛微*自紀
〔虛　中〕垂稀衣歸微*寄華山司空圖之一
〔程　紫霄〕疑依非示*守庚申衆
〔呂　巖〕詩稀衣飛微*七言之七十
〔劉　乙〕枝微輝機扉*山中早起
〔張　保胤〕時稀衣妃時*又*留別同院

微齊合韻譜

通韻譜

〔李　中〕溪暉歸稀飛*經古觀有感
〔徐　鉉〕谿飛歸*走筆送義興令趙宣輔
〔譚　用之〕西歸圍微飛*塞上之二

六魚韻

韻字表

魚支合韻譜

通韻譜

〔齊　己〕師*虛居蔬藁喜彬上人見訪

魚虞合韻譜

正韻譜

〔段成式〕居躕*書送穆郎中赴闕

〔劉　兼〕車餘珠*疏如送從弟舍人入蜀　車襦*書疏魚新迴車院筵上作

〔貫　休〕藁圖*居枯*躇寒望九峯作

通韻譜

〔皮日休〕餘居魚書殊*陳先輩故居

〔陸龜蒙〕孤*除疏書鱸*寄淮南鄭寶書記　都*餘書和襲美寄韋校書

〔羅　隱〕躕*餘初輿如送丁明府赴紫溪任　謨*如魚題磻溪垂釣圖

〔鄭　谷〕途*如車書魚獻大京兆薛常侍能

〔杜荀鶴〕儒*疏書初鋤書齋即事

〔韋　莊〕鱸*車儲疎廬寄從兄遵　蘇*書如得故人書

〔黃　滔〕夫*裾魚嚴陵釣臺

〔徐　夤〕儒*書居蜍虛贈表弟黃校書輅　珠*居書蔬儲贈黃校書先輩璞閒居

〔孫　棨〕膚*初梳裾如贈妓人王福娘

〔周　曇〕謨*書疽范增

〔胡　宿〕符*車書疏墟淮南王

〔徐　鉉〕都*如胥初書寄江都路員外　圖*渠居書裾聞查建州陷賊寄鍾郎中

孤*書如梳除文彧少卿文山郎中交好

〔李　詢〕晡*如疏贈織錦人

〔張　立〕都*舒初蜀郡城上芙蓉花又詠

〔譚用之〕蒲*居書魚虛江邊秋夕

〔劉　兼〕鬚*如餘除書對鏡　趨*餘居虛疏貽諸學童

〔孫元晏〕孤*書如陸統

〔花蕊夫人〕膚*虛書宮詞之八六

〔齊　己〕墟餘居除褕*丙寅歲寄潘歸人　居除蔬株*書李秀才壁

株*初疏居書詔陽微公　株*餘疏除如道林寓居

〔劉昭禹〕居餘書隅*石筍

〔扈載〕無*如居疏區*芳草

七虞韻

韻字表

虞微合韻譜

通韻譜

〔羅隱〕嶇夫歸*青山廟

虞魚合韻譜

正韻譜

〔劉兼〕圖衢書*裾*無春霽

〔呂巖〕疏*區虛*梧夫哭陳先生

通韻譜

〔李商隱〕如*壚蕪梓潼望長卿山至巴西復懷譙秀

〔汪遵〕餘*都株隋柳

〔陸龜蒙〕書*無圖爐芻奉和襲美懷華陽潤卿之一　書*梟蒲東飛梟

〔司空圖〕虛*壺爐步虛　虛*圖廚王官之二
〔李咸用〕除*孤湖俱〔缺〕分題雪霽望爐峯
〔韓偓〕書*圖盧鬚芋安貧　初*蕪途壺壚村居　餘*烏轤春恨
〔吳融〕魚*艫塗渡漢江初嘗鯿魚
〔韋莊〕書*儒都圖壺袁州作　姑轤胡孤居*平陵老將
〔黃滔〕蕖*區胡枯無寄懷南北故人　書*衢壺珠盧榆都姝須成名後呈同年
〔曹松〕餘*廚無山寺引泉
〔孫棨〕初*呼無題妓王福娘牆
〔周曇〕餘*區謨莊公　餘*謨無再吟侯嬴朱亥　疏*愚都獨孤后
〔李建勳〕書*都無送八分書與友人繼以詩
〔徐鉉〕書*姑無附書與鍾郎中因寄京妓越賓
〔李家明〕吳謨如*題紙鳶止宋齊丘哭子
〔成彥雄〕餘*無夫柳枝辭之七
〔花蕊夫人〕除*圖呼宮詞之一六
〔呂巖〕虛*爐珠銖枯五言之九

〔李　郢〕鋤*株無壺雛寄友人乞菊栽

〔孫　魴〕初*紆無隅枯柳之一

八齊韻

韻字表

齊支合韻譜

正韻譜

〔李　洞〕規*西啼迷秋宿青龍禪閣

〔劉　兼〕披**追泥堤啼蜀都春晚感懷

通韻譜

〔馬　戴〕羈*笄鞮西萋寄襄陽王公子

〔劉　滄〕期*低啼棲泥題古寺

〔聶夷中〕枝*棲啼烏夜啼

〔徐　夤〕墀*西啼泥妻上陽宮詞

〔胡　宿〕湄*嵇攜堤蹄趙宗道歸輦下

〔盧士衡〕爲*齊鯢鍾陵鐵柱

〔徐　鉉〕之*西溪攜迷送彭秀才南游

〔成彥雄〕期*西溪會友不至　枝*堤嘶柳枝辭之九

〔處　默〕攲*溪西山中作

〔呂　巖〕基*西齊絕句之一

齊微合韻譜

通韻韻

〔胡　宿〕霏*泥蹊堤蹄城南

〔李　中〕衣*藜溪萋西贈上都先業大師　飛*悽迷啼泥下蔡春暮旅懷

飛*悽迷啼藜海上春夕旅懷寄左偃

〔查文徽〕稀*迷溪圭西寄麻姑仙壇道士

〔譚用之〕飛*攜溪泥低春日期巢湖舊事

齊灰合韻譜

通韻譜

〔杜荀鶴〕材*低齊棲題題瓦棺寺眞上人院矮檜

齊歌支合韻譜

正韻譜

〔陳　陶〕差*棲枝鏡道中吹篇

九佳韻

韻字表

佳灰合韻譜

通韻譜

〔李　洞〕臺*槐齋篩階喜鸞公自蜀歸

十灰韻

韻字表

灰支合韻譜

正韻譜

〔司空圖〕催垂*來白菊之三

灰微合韻譜

通韻譜

〔胡　曾〕巍*回臺番禺

灰齊合韻譜

通韻譜

〔貫　休〕啼*哉回苔迴經孟浩然鹿門舊居之二

灰佳合韻譜

通韻譜

〔羅　隱〕階*來開苔栽扇上畫牡丹

〔韓　偓〕街*開來杯枚迴臺錫宴日作

〔吳　融〕崖*苔來山居即事

〔周　曇〕乖*才來夷齊

〔和　凝〕階*臺來宮詞之一一　階*才來宮詞之八八

十一眞韻

韻字表

眞文合韻譜

正韻譜

〔李　商　隱〕仁旻殷*巡薪淳勤*因迍臣辰陳宸新豳辛詢鈞遵塵馴民頻綸振神秦親春麟珍紳臻

蘋送從翁東川弘農尙書幕

〔李　頻〕殷*人均鄰之任建安淥溪亭偶作之一

〔唐彥謙〕晨輪塵勤*人七夕

〔徐　夤〕春人勤*貧塵鴻門

〔孫　魴〕辰倫春人勤*塵神津頻濱寅新旬鄰淳秦巡主人司空後庭牡丹

通韻譜

〔李商隱〕雲*人身木蘭花

〔姚　鵠〕雲*新春人鄰塞外寄張侍郎

〔項　斯〕氛*春人眞晨遊爛柯山　雲*親身贈別

〔薛　能〕群*新人符亭二首之一

〔劉　威〕雲*春塵身人贈道者

〔于武陵〕雲*新人春塵洛陽道

〔高　駢〕分*新人廣陵宴次戲簡幕賓

〔許　裳〕勤*身人春因寫懷

〔陸龜蒙〕雲*神春巾斤奉和襲美華陽潤卿之三　文*津人早行

〔方　干〕雲*貧鱗春人湖上言事寄長城喻明府

〔羅　鄴〕雲*眞塵水簾　勳*頻人新身邊將

〔杜荀鶴〕勤*塵身新人感秋　軍*新塵人身塞上

〔張　蠙〕勳*頻人新身邊將

〔黃　滔〕文*臣人身神颿吟七言四韻寄翁文堯拾遺　雲*人臣身鈞賀清源太保王延彬

〔曹　松〕雲*春人贈廣宣大師　紋*茵塵身鱗碧角簟

〔李　洞〕雲*貧人塵鄰宿長安蘇雍主簿廳　雲*身輪津塵聞杜鵑

雲*人塵眞巡贈長安畢郎中

〔周　曇〕雲*春人舜妃　群*身人荊軻再吟　分*鄰人智伯再吟

君*身人楊回　君*臣人齊桓公　軍*臣人元帝

〔徐　鉉〕春人茵勤*贈浙西妓亞仙

〔成彥雄〕雲*津人柳枝辭之六

〔貫　休〕嚬*巾春人頻春末寄周璉　雲*塵人辭東陽臨岐上杜使君之七　雲*巾人道士

〔齊　己〕雲*因春人身江寺春殘寄幕中知己之一　君*春塵民貧寄澧陽吳使　雲*身塵片雲

〔杜光庭〕雲*塵人思山詠

（呂　巖）君*身輪春塵得火龍眞人劍法

（金車美人）雲*新人春塵與謝翱贈答詩

眞文元合韻譜

正韻譜

（鄭　損）痕*鄰雲。聞。人星精亭

眞元合韻譜

正韻譜

（崔　塗）濱存*貧春人商澗耕叟

通韻譜

（高　駢）魂*新人塞上曲之二

（司空圖）恩*春塵南北史感遇之四

（李咸用）恩*春巾別李將軍

（胡　曾）根*新人武陵溪

（鄭　谷）昏*春眞爲人題

（韓　偓）恩*綸秦塵身八月六日作之四

〔杜荀鶴〕門*眞人新親訪道者不遇　門*新身人貧喜從弟雪中遠至有作
昏*春人鄰身郊居即事投李給事
〔周　曇〕吞*人親楚惠王
〔馮　道〕門*綸人放魚書所鑰戶
〔李　中〕門*貧春鄰綸春晚過明氏閒居

眞庚合韻譜

通韻譜

〔徐　鉉〕城*春親塵津從駕東幸呈諸公　成*賓人綸身九日落星山登高
〔呂　巖〕行*親珍銀者七言之二七

眞蒸合韻譜

通韻譜

〔李建勳〕稜*銀人巡親送致仕郎中

眞侵合韻譜

正韻譜

〔呂　巖〕身金*春親答僧見

十二文韻

韻字表

文眞合韻譜

通韻譜

〔許　渾〕濆*羣文雲軍出關

〔李商隱〕人*君裙熏雲牡丹

〔趙　嘏〕濱*雲文題曹娥廟　塵*雲聞尋僧二首之一

〔項　斯〕人*分群聞雲山行

〔柳　珪〕人*君聞雲薰送莫仲節狀元歸省

〔李群玉〕文曛聞鈞*同張明府遊漊水亭

〔于武陵〕塵*分雲聞群贈王隱者山居

〔皮日休〕春*雲聞分裙奉和魯望懷二楊秀才

〔陸龜蒙〕鱗*分文雲君襲美以魚牋見寄　春*雲聞分裙懷楊臺文、楊鼎文二秀才

春*君分文雲嚴子重沒江南和襲美弔之

〔張　濆〕馴*羣雲悼鶴和襲美

〔李山甫〕人*群君芬雲送蘄州斐員外

〔胡　曾〕仲*焚文滎陽

〔方　干〕神*曛聞雲君題長州陳明府小亭　人*醺雲東陽道中作

〔羅　鄴〕塵*軍墳過王濬墓

〔羅　隱〕聞雲身*寄竇澤處士之一

〔章　碣〕輪*漬紋群曛夏日湖上即事寄蕭明府

〔鄭　谷〕眞*分聞雲君終南白鶴觀　新*分聞醺雲水林擒花　鄰*聞雲分群少華甘露寺

春*芸軍聞紛結綬鄠郊縻攝府署自詠　塵*文雲聞墳松

〔韓　偓〕塵*氛雲熏聞贈僧

〔吳　融〕雲聞君分鄰*寄貫休上人　津*雲軍松江晚泊

〔杜荀鶴〕人*文君雲群浙中逢詩友　人*君聞雲文山中寄詩友

〔韋　莊〕親*君群聞君送范評事入關

〔黃　滔〕身*雲聞寄宋明府

〔徐　夤〕鄰*君雲焚軍憶山中友人　新*君雲漬分貢餘秘色茶盞

勻*文薰分雲詠簾　人*雲君寄華山司空侍郎

〔周　曇〕人*焚君孫臏　身*燻君管仲再吟　臣*云君李集
〔潘　佑〕人*氛雲送人往宣城
〔李　中〕塵*羣分雲君贈鍾尊師遊茅山
〔徐　鉉〕人*雲君文聞廬陵別朱觀先輩　春*聞君群雲送蕭尚書致仕歸廬陵
〔劉　兼〕論*雲軍分群萬葛樹
〔孫元晏〕親*聞君謝澹雲霞友　倫*君聞王僧祐
〔韓　溉〕塵*分聞雲君松
〔潘　佐〕人*氛雲送人往宣城
〔蔣　吉〕秦*雲聞出塞
〔花蕊夫人〕辰*雲文宮詞之六三　人*裙君宮詞之一三〇
〔齊　己〕身*君雲聞羣送秘上人　塵*雲聞氳文答崔校書
〔棲　蟾〕人*群雲分聞贈南嶽玄泰布衲

文元合韻譜

正韻譜

〔鄭　璧〕痕*群魂*紋裙奉和陸魯望白菊

〔貫休〕紛門*君送人遊茆山

通韻譜

〔許渾〕村*曛聞雲軍游維山新興寺宿石屛村謝叟家　門*分群雲君遊茅山

〔高駢〕門*雲君赴西川途經虢縣作

〔司空圖〕門*君聞楊柳枝之一

〔胡曾〕恩*薰雲裙紋薄命妾

〔羅隱〕尊*文墳雲君代文宣王荅　痕*分雲中秋不見月

〔韓偓〕恩*雲群觀門鷄偶作

〔杜荀鶴〕門*分群雲君遊茅山　存*分聞軍動題所居村舍

〔韋莊〕村*聞君聞春鳥　門*群君虎跡

〔徐夤〕門*分君雲聞泉

〔周曇〕溫*分焚卞和

〔廖匡圖〕根*濆雲分聞贈泉陵上人

〔李中〕村*文雲聞君吉水縣依韻酬華松秀才

〔齊己〕門*聞雲分群倦客　坤*君分聞紛賀雪

〔吳越僧〕尊*群雲聞分武肅王有旨石橋設齋會進一詩之一

文元眞合韻譜

正韻譜

〔呂巖〕門*雲君輪氳。七言之一〇六

十三元韻

韻字表

正韻譜

〔吳融〕昏春*喧軒途中

〔王貞白〕昏人*根魂書陶潛醉石

〔徐鉉〕濱*恩痕代鍾答

元眞合韻譜

通韻譜

〔于武陵〕塵*昏存園軒洛中晴望　辛*痕門存恩過侯王故第

〔陸龜蒙〕貧*門恩有示

〔李咸用〕塵*言昏門恩謝所知

〔韓　偓〕春*魂村門論再止廟居　輪*論魂蹤跡

〔杜荀鶴〕身*存孫村魂哭方干

〔李　中〕伸*論罇軒門贈史虛白　伸*存尊門論贈海上書記張濟員外

〔周　濆〕春*門恩重門曲

〔李舜弦〕鱗*魂呑釣魚不得

〔呂　巖〕倫*存坤根論七言之一

〔皮日休〕巾*門村根尊赤門堰白蓮花

〔王貞白〕春*存恩魂門長門怨之一

元眞文合韻譜

正韻譜

〔劉　兼〕春*。焚尊存蓀長春節

元文合韻譜

通韻譜

〔杜　牧〕紋*存痕斑竹筒簟

〔汪　遵〕分*孫恩淮陰

〔司空圖〕紛*門存修史亭之一

〔曹唐〕分*存門小遊仙詩之四八

〔羅隱〕聞*坤門董仲舒

〔韋莊〕紛*魂村門孫柳谷道中作卻寄

〔張蠙〕分*存孫門論贈南昌邑

〔黃滔〕濆*根門溫喧寄羅浮山道者之一

〔周曇〕文*尊存武公　聞*軒存胡亥再吟　濆*昏魂曹娥　分*論坤蜀先主再吟

〔李建勳〕分*門昏村存遊棲霞寺

〔同谷子〕君*孫門五子之歌之四

〔貫休〕君*根言恩論東陽罹亂後懷王慥使君之三

〔齊己〕文*存痕根魂秋苔

元寒合韻譜

正韻譜

〔杜牧〕垣恩言吞盆痕暾翻存喧屯奔論園刓*孫跟昏藩門閽魂尊源掀寃髡軒喧根繁罇昔事文皇帝三十二韻

通韻譜

（方　干）丹*門言冤昏贈上虞胡少府白篇

（吳　融）闌*園繁魂昏春晚書懷

元寒先合韻譜

正韻譜

（劉　兼）萱寬*源團*。湲春夕寓興

元刪合韻譜

通韻譜

（杜荀鶴）閒*暄言山寺老僧

（徐　夤）還*坤暄蓀門寓題述懷

（周　曇）還*言原頃襄王

元先合韻譜

通韻譜

（喻　鳧）巔*軒幡猿言題翠微寺

（趙　嘏）仙*軒園贈張濆榜頭被駁落

〔唐彥謙〕偏*門恩牡丹

〔杜荀鶴〕禪*軒言猿喧題江寺禪和

〔李建勳〕鮮*番蓀繁門採菊

〔譚用之〕天*言園翻軒送友人歸青社

〔李建業〕鮮*番蓀繁門採菊

〔齊　己〕門魂源筌*酬岳陽李主簿

元庚合韻譜

通韻譜

〔唐彥謙〕城*門村渾論宿獨留

寒元合韻譜

通韻譜

〔韓　偓〕園*盤乾寒看大慶堂賜宴有詩呈吳越王重和

〔杜荀鶴〕言*安難看般入關因別舍弟

〔韋　莊〕原*壇團殘灘登漢高廟閒眺

〔李建勳〕繁*搏看乾冠春日小園閒看兼招同舍

〔吳越人〕園*盤乾寒看大慶堂賜宴有詩呈吳越王重和

寒元先刪合韻譜

正韻譜

〔呂　巖〕源*。×錢還難看七言之一〇七

寒刪合韻譜

正韻譜

〔周　朴〕閒*壇寒丹送梁道士

〔劉　兼〕還*攔寒顏*竿晚樓寓懷　瀾顏*寒灘還*登樓寓望

通韻譜

〔盧　肇〕攀*難看成名後作

〔于武陵〕山*寬寒安欄與僧話舊

〔李咸用〕間*看般寒寬依韻修睦上人山居之一

〔方　干〕間*丹難餐殘贈五牙山人洗修白

〔章　碣〕還*難寒看珊下第有懷

〔唐彥謙〕顏*寒鸞無題之十

〔盧汝弼〕瘢寒山*和李秀才邊庭四時怨之四

〔杜荀鶴〕山*難看寒端題嶽麓寺　閒*難灘安戲贈漁家　間*難看寄李隱居

〔黃　滔〕山*寬官寓題

〔崔道融〕閒*寬看村墅

〔曹　松〕蠻*看寬丹難南海

〔裴　說〕山*寒難竿看旅中作

〔李　洞〕殷*欄寒乾殘寄東蜀幕中友

〔于　鄴〕山*寬寒安欄與僧話舊

〔王　喦〕顏*看灘貧女

〔和　凝〕山*看玕宮詞之二二　環*鸞盤宮詞之二五

〔李建勳〕還*寒看壇歡和判官喜雨

〔李　中〕還*看寒經廢宅　關*安寒彈冠寄廬山莊隱士

〔徐　鉉〕間*難寒檀潘夢游之三

〔劉　兼〕山*寬難寒瀾重陽感懷

〔周　濆〕山*寒瀾山下水

〔無名氏〕間*安難殫看題取經詩

〔齊　己〕闕*乾難寒歎雉　闕*寒殘難安溪齋之二　顏*盤壇難干迴雁峯

山*殘寒看安遇元上人

〔呂　巖〕丹看難寒闕*七言之九九　山*丹寒題全州道士蔣暉壁

〔佚　名〕闕*殘寒明器婢詩

寒先合韻譜

正韻譜

〔呂　巖〕看端煙*丹難七言之七六

通韻譜

〔陸龜蒙〕船*丸盤上雲樂

〔李咸用〕千*難闌寒看投知

〔羅　隱〕圓*殫寒安懽早秋宿葉墮所居

〔韓　偓〕筵*盤乾寒看大慶堂賜宴有詩呈吳越王　賢*盤乾寒看又和　眠*般珊寒看懶起

〔張道古〕前*端彈安看上蜀主

〔韋　莊〕煙*歎官官莊

〔黃　滔〕年*安難寒般寄林寬

〔徐　鉉〕川*盤官歡安寄歙州呂判官

〔譚用之〕天*蘭瘢寒單塞上之一

〔梁補闕〕年*殘官贈米都知

〔吳越人〕筵*盤乾寒看大慶堂賜宴有詩呈吳越王

賢*盤乾寒看又和

〔卿　雲〕邊*殘寒餐蘭秋日江居閒詠

〔齊　己〕圓*寒安庚午歲十五夜對月

〔呂　巖〕前*鑾冠寒難七言之一一一

〔蔣貽恭〕年*歡官五門街望有題

寒先刪合韻譜

正韻譜

〔呂　巖〕乾權*寒壇寰。七言之八三

刪元合韻譜

通韻譜

〔黃　滔〕園*顏山間寰寄同年崔學十

〔周　曇〕源*間山吳隱之再吟

刪寒合韻譜

正韻譜

〔吳　融〕關灘*環釣竿

〔盧汝弼〕關殘*山和李秀才邊庭四時怨之一

〔王　渙〕鬢看*間惆悵詩十二首之八

通韻譜

〔項　斯〕殘*山閒間寰李處士道院南樓

〔袁　郊〕間還奸*月

〔汪　遵〕難*還關夷門　顏還灘*東海

〔司空圖〕闌*攀山歌者十二首之十

〔來　鵠〕瀾*間閒鷺鷥

〔方　干〕難*寰間攀顏贈鄭仁規

〔韓　偓〕鸞*班山間閒夢中作　闌*關閒間山睡起

〔吳　融〕閒間山蘭*奉和御製
〔杜荀鶴〕難*顏攀間山恩門致書遠及山居因獻之
〔裴　說〕闌*間山閒關道林寺
〔周　曇〕難*間環王后
〔和　凝〕官*閑班宮詞之八〇
〔徐　鉉〕歡*鬟間還斑江舍人宅筵上有妓唱韓舍人歌辭
〔馮　涓〕難*山關蜀馱引
〔楊鼎夫〕寒*閒灣間環記皀紅墮水事
〔劉　兼〕欄*顏山關端*夢歸故園
〔孫元晏〕難*山閒魯肅指囷
〔貫　休〕難*山間潺扳山居詩二十四首之一　難*間山曹娥碑　看*慳山間閒題某公宅
〔齊　己〕殘*間山閒還送人遊衡岳　寒*鬟閒顏關寄居道林寺作　難*間還山顏送人入蜀
〔無　作〕單*關山謝武肅王

刪先寒合韻譜

正韻譜

〔呂　巖〕閒緣*間關看。七言之八六

刪先合韻譜

通韻譜

〔喻　鳧〕年*還閒山關送石貢歸吳興

〔姚　鵠〕年*還閒山關送石貫歸湖州　權*閒山間還隨州獻李侍御二首

〔韓　琮〕川*關山閒間潁亭

〔李　郢〕關顏蓮*張郎中宅戲贈之二

〔陸龜蒙〕禪*還關訪僧不遇

〔羅　隱〕川*閒山間斑即事中原甲子

〔鄭　谷〕年*間山還攀次韻和秀上人長安寺寄渚宮禪者

〔杜荀鶴〕年*斑閒山關秋宿臨江驛　天*間山灣閒春日登樓遇雨

〔韋　莊〕川*閒山間斑辛丑年　天*關山慳閒江上題所居

〔黃　滔〕然*間顏還關喜侯舍人蜀中新命之一

〔徐　夤〕仙*還山關間題福州天王閣　天*關山斑還醉題邑宰南塘屋壁

仙*閒山間關賀清源太保王延彬　仙*顏閒山間李翰林

〔崔道融〕船*灣關溪居即事

〔李九齡〕仙*還閒上清辭五首之四　賢環閒讀三國志

〔李建勳〕連*間山還班道林寺

〔徐　鉉〕年*還關顏間進雪詩

〔貫　休〕煙*間還閒山寄信州張使君

〔曇　域〕邊*還山關閒宿鄭議山居

下平聲

一先韻

韻字表

先元合韻譜

正韻譜

〔段成式〕年喧*泉哭李群玉

〔花蕊夫人〕天園*鈿宮詞之一一七

通韻譜

〔杜　牧〕翻*煙弦眠緣鴉
〔李商隱〕繁*鮮年石榴
〔曹　鄴〕門*前田甲第
〔杜荀鶴〕喧*眠錢船篇贈溧水崔少府　繁*川船眠年送蜀客遊維揚
〔韋　莊〕喧*芊年傳天訪含弘山僧不遇留題精舍
〔周　曇〕言*宣先劉聖公
〔徐　鉉〕源*筵仙田年送許郎中歙州判官兼黟縣　園*然妍前川鮮遷圓泉煎煙先因眠捐錢傳
仙天弦賢和門下殷侍郎新茶二十韻
〔花蕊夫人〕園*蓮船宮詞之七九
〔貫　休〕猿*煙天然船三峽聞猿
〔齊　己〕園*仙天偏年題南平後園牡丹　園*鵑泉前天聞道林諸友嘗茶因有寄
〔呂　巖〕言*田篇娟天七言之六二

先元寒合韻譜

正韻譜

〔杜荀鶴〕言*邊天塼。年旅泊遇郡中叛亂示同志

〔周　曇〕源*。全寬子產

〔呂　巖〕元*。般鉛天五言之五

先元刪合韻譜

正韻譜

〔徐　鉉〕軒*圓船弦潺。憶新淦觴池寄孟賓于員外

先寒合韻譜

通韻譜

〔司空圖〕寬*川眠泉船重陽日訪元秀上人

〔曹　唐〕鸞*偏天小遊仙詩之六六

〔李山甫〕寒*邊先篇仙禪林寺作寄劉書記

〔鄭　谷〕難*年天前傳泉堅眠然編氈前寄左省張起居百言舊韻重答

〔韓　偓〕寒*眠船效崔國輔體之四

〔杜荀鶴〕端*仙前眠天憶紫閣隱者　難*然邊蟬年長安春感

〔韋　莊〕珊*天連懸船對雪獻薛常侍　難*天前焦崖閣

〔徐　夤〕歡*牋眠線錢紙被

〔張　泌〕殘*天煙鞭年長安道中早行

〔呂　巖〕觀*傳鉛玄天七言之二九

先刪合韻譜

通韻譜

〔皮日休〕閒*然蓮研篇太湖硯

〔李咸用〕閒*然天堅賢物情

〔方　干〕山*巔天前玄題寶林山禪院

〔鄭　谷〕班*眠煙早入諫院之一

〔杜荀鶴〕山*錢仙煙天亂後山居　閒*天年泉然題德玄上人院　關*年賢蟬前亂後出山逢高員外

〔鄭　準〕閒*前天雲

〔翁承贊〕斑*泉天懸年奉使封王次宣春驛

〔黃　滔〕山*仙湲聯賢贈鄭明府

〔沈　彬〕山*田年眠然麻姑山

〔李　中〕斑*前煙堅泉題吉永縣廳前新栽小松

〔呂　巖〕然前鉛顏*五言之一　還*天傳絕句之二

先鹽合韻譜

通韻譜

〔花蕊夫人〕纖*邊牽宮詞之一〇一

〔佚　名〕添*煙邊鳳皇臺怪和歌之四

二蕭韻

韻字表

蕭肴合韻譜

正韻譜

〔李商隱〕梢**郊翹嬌蕭茂陵

邀霄巢*聊招標簫遙韶飄恌饒燒飆痟瑤腰喬寥苗銷朝翹綃驕朝杓凋僚樵送從翁從東川弘農尚書幕

通韻譜

〔溫　憲〕梢*寥朝條嬈杏花

〔韓　偓〕郊*寥樵銷朝乙丑九月復除戎曹後因書四十字

〔杜荀鶴〕茅*焦苗燒傜山中寡婦

〔李　中〕郊寥苗夏雲

蕭豪合韻譜

正韻譜

〔李　洞〕飄濤鵰橋焦懷張喬張霞

〔呂　巖〕勞嘷條消霄化江南簡寂觀道士侯用晦磨劍

通韻譜

〔陸龜蒙〕豪腰苗自遺詩之九

〔李　洞〕刀條銷橋腰題尼大德院

〔王仁裕〕槽條簫嬌韶荊南席上詠胡琴妓之一　陶霄遙朝飆題斗山觀

〔孫元晏〕高饒腰王郎

三肴韻　韻字表

肴蕭合韻譜

正韻譜

〔韓　偓〕鞘腰交從獵三首之二

通韻譜

〔司空圖〕燒*巢嘲光啓丁未別山　朝*抛嘲寄薛起居

肴豪合韻譜

正韻譜

〔溫庭筠〕交袍*梢巢郊寒食日作

通韻譜

〔杜荀鶴〕高*抄交巢敲贈元上人

四豪韻

韻字表

豪蕭合韻譜

正韻譜

〔周朴〕高騷潮*豪宿劉溫書齋

〔周曇〕豪嬈*刀賀若弼

〔貫休〕勞袍高橋*毛避地毘陵寒月上孫徽使君

通韻譜

〔李　頻〕旄勞高潮*陝府上姚中丞

〔周　繇〕濤猱艘毛饒*送楊環校書歸廣南

〔李　洞〕宵*豪高毛勞中秋月

〔周　曇〕朝*高敖樊姬

〔李　中〕遙*勞高所思代人

〔孫元晏〕遙*豪高蒲葵扇

豪肴合韻譜

通韻譜

〔譚用之〕巢*勞毫高桃送丁道士歸南中

五歌韻

韻字表

歌麻合韻譜

通韻譜

〔杜　牧〕家*磨多歌羅懷鍾陵舊遊四首之四

〔杜荀鶴〕家*多戈和何將入關安路遇兵寇

六麻韻

韻字表

麻佳合韻譜

正韻譜

〔公乘億〕佳*花斜紗家賦得秋菊有佳色

通韻譜

〔段成式〕娃*花牙不赴光風亭夜飲贈周繇

〔李　頻〕崖*家斜花霞尋山

麻歌合韻譜

通韻譜

〔秦韜玉〕波*家邪賒花豪家

〔杜荀鶴〕何*斜花茶家題衡陽隱士山居　何*涯家沙斜秋日臥病

〔徐　鉉〕何*家斜花賒夢游三首之一

七陽韻

韻字表

陽江合韻譜

通韻譜

〔皮日休〕江*霜香光郎奉和魯望謝惠巨魚之半

〔徐　夤〕窗*肓量瘡狼閉門

〔孫元晏〕降*方昂馬仙埤

〔齊　己〕窗*涼妨光鄉船窗　江*陽長量堂題玉泉寺

八庚韻

韻字表

庚眞合韻譜

通韻譜

〔呂　巖〕人*城橫贈滕宗諒

庚眞文合韻譜

正韻譜

〔呂　巖〕倫*名°君絕句之三

庚文合韻譜

通韻譜

〔劉得仁〕雲*城生迎名送祖山人歸山

〔周　朴〕雲*名平明傾望中懷古

庚青合韻譜

正韻譜

〔司空圖〕驚形*退居漫題之七

〔曹　唐〕行青*兵小遊仙詩之十九

〔徐　鍇〕青*行生情送程德琳郎中學士

〔齊　己〕冥*行生平與聶尊師話道

〔呂　巖〕庭*名靈*英清別詩二首之一

〔可　朋〕晴清明形*平中秋月

通韻譜

〔杜　牧〕形*成生情京愁　汀*成名清情鴛鴦

〔許　渾〕亭*清情箏旌寓崇聖寺懷李校書　形*成生情京題愁　汀*成名清情鴛鴦

扃*情驚名生聞釋子栖玄欲奉道因寄

〔劉得仁〕生清并聲明聽*賦得聽松聲

〔孟　遲〕聽*城聲吳故宮

〔王　鐸〕萍*名城平兵謁梓潼張惡子廟

〔崔元範〕亭*情聲李尚書命妓歌餞有作奉酬

〔劉　滄〕冥*楹晴平聲登龍門敬善寺閣　亭*名城奉和鄭薰相公

〔鄭　愚〕靈*英烹生茶詩

〔汪　遵〕寧*榮明桐江

〔林　寬〕青*行輕鳴聲曲江

〔陸龜蒙〕亭*生聲輕羹潤州送人往長州　冥*清生聲名和襲美傷開元觀顧道士

冥*平生和襲美館娃宮懷古五絕之三　泠*清名送琴客之健康

〔魏　朴〕冥*生情輕京和皮日休悼鶴

〔司空圖〕靈*生情放龜之一　庭*營生放龜之二　齡*清嶸力疾山下吳村看杏花之十六

〔李山甫〕庭*名情柳十首之七　醒*情嶸柳十首之九

〔方　干〕星*名生聲旌哭秘書姚少監　星*輕聲傾名陪王大夫泛湖

庭*聲生卿情贈錢塘湖上唐處士　靈*情輕生京贈美人之三

*冥晴行名生題法華寺絕頂禪家壁　*青情明思江南
庭情名題嚴子陵祠之一
〔羅鄴〕*醒程行聲城早發　*青生情賞春
〔羅隱〕*亭情兵題杜甫集
〔牛嶠〕*青卿生楊柳枝五首之一
〔翁洮〕*冥清榮聲程冬
〔唐彥謙〕*青成聲詠竹
〔鄭谷〕*星生明讀李白集
〔崔塗〕*冥清聲湘中弦之二
〔韓偓〕*形兵名驚城生烹清明隰州新驛　*汀聲情平輕重遊
*刑傾平情兵吳郡懷古　*亭成生聲名隰州新驛贈刺史
〔吳融〕*汀清生鳴情端居　*坰情平生成過丹陽
*停情城聲明分水嶺　*冥程明城行東歸望華山
〔杜荀鶴〕*星情生聲明獻長沙王侍郎　*青情兄聲成館舍秋夕
*亭輕情爭名題仇處士郊居

〔韋　莊〕坰*城鳴兄平虢州澗東村居作　屛*城耕生情題盤豆驛水館後軒
扃*情生成京江上村居　星*情生聲纓饒州李侍郎舊居遺址感舊和吟
萍*纓情明平與東吳生相遇　亭*明觥城橫邊上逢薛秀才話舊
醒*情聲搖落
〔王貞白〕靈*生輕名行送芮尊師
〔曹　松〕庭*名生英情贈道人
〔裴　說〕形*生爭春日山中竹
〔李　洞〕青*城行平卿營驚更鶯輕楹投獻吏部張侍郎十韻
廳*生京行程乙酉自蜀隨計趁試不及　廳*更聲秋宿長安韋主簿廳
〔于　鄴〕青*平生行城路傍草
〔周　曇〕獰情寧*臧孫　刑*生誠嚳拳　刑*生聲晏嬰又吟　醒*清誠屈原
〔胡　宿〕馨*城名榮卿淮南發運趙邢州被詔歸闕
〔捧劍僕〕庭*名清題牡丹
〔黃　損〕扃*輕聲平明出山吟
〔張　泌〕庭*情明平成春夕言懷

〔陳　陶〕青*兵營隴西行四首之三

〔李　中〕青*情鶯柳二首之一　停*聲清情生對雨寄朐山林番明府

〔徐　鉉〕形*清聲名程贈王貞素先生　亭*橫驚情聲池州陳使君示游齊山詩因寄

星*情聲送察院李侍御使廬陵因寄孟員外

〔成彥雄〕屏*瀛聲遊紫陽宮

〔詹敦仁〕亭*城鳴生榮余遷泉山城留侯招遊郡圃作此

〔譚用之〕經*生卿清平約張處士遊梁　醒*生清平名別侯處士陵俊老

〔劉　兼〕冥*平情行成登郡樓書懷　聽*生聲情烹誡是非

〔吉師老〕青*明晴平生北邙山

〔鄭　蕡〕經*輕營生聲呈鳴天驥呈材

〔無名氏〕醒*鳴聲雜詩之七

〔花蕊夫人〕萍*橫情宮詞之九〇　亭*行聲宮詞之一一二

〔貫　休〕靈*行輕鳴迎送僧歸日本　星*擎行明平文有武備

靈*明聲傾成對雪寄新定馮使君之二

謦*行明傾營賀雨上王使君之二　停*情聲聞杜宇

青*輕聲律師

〔齊　己〕冥*明行聲生留題仰山大師塔院

庭*名清生貞平并楹聲城撐行輕禪庭蘆竹十二韻呈鄭谷郎中

庭*清行耕城夜次湘陰　青*生行情聲西墅新居

醒*聲生行清新秋病中枕上聞蟬　青*晴嶸明生舟中晚望祝融峯

靈*成名鶯京輕明驚鐺平傾盛生詠茶十二韻

扃*卿更生情愛吟　青*平兵情行寄峴山道人　經*行生戒小師

〔鄭　遨〕靈*英烹生清茶詩

〔張　辭〕馨*名聲觥清上鹽城令述德詩

〔佚　名〕青*城兵乾符六年謠

〔劉得仁〕庭*行生聲清栽松

〔盧士衡〕靈*貞聲生輕松

庚青眞合韻譜

正韻譜

〔呂　巖〕形*精身。絕句之二三

庚蒸合韻譜

通韻譜

〔韋　莊〕澄*清鵲生聲三堂東湖作

〔徐　鉉〕陵*卿生清兄送馮侍郎　陵*情莖又絶句題毘陵驛

庚侵合韻譜

正韻譜

〔羅　隱〕城金*遇邊使

通韻譜

〔司空圖〕獰耕金*虞鄉北原

九青韻

韻字表

青庚合韻譜

正韻譜

〔薛　能〕星清*庭秋題

〔陸龜蒙〕翎清*聽文讌招潤卿博士辭以道侶將至一絶寄之

〔吳　融〕汀扃清*螢庭西陵夜居

〔呂　巖〕明*輕*形扃齡七言之二三

通韻譜

〔杜　牧〕聲*汀亭題齊安城樓

〔許　渾〕明*亭青屏銘題義女亭

〔劉得仁〕城*聽青星冥送知全禪師南遊　驚*青醒贈從弟谷

〔段成式〕聲*醒青醉中吟

〔李　郢〕生*亭青星聽秦處士移家富春發樟亭寄懷

〔高　駢〕錫*醒亭春日招賓

〔皮日休〕輕*溟腥經醒魯望以輪鉤相示細懷高致因作之三

〔陸龜蒙〕瀛*銘庭聽星和襲美爲弘惠上人撰周禪詩碑送歸詩　鳴*齡形屏銘和襲美先輩悼鶴

生*冥形櫺庭丁腥屏蓂經靈星霆青聽缾醒亭溟苓熒寧汀謦蜓銘螢瓴萍暝舲寄懷

華陽道士

聲*泠屏洞宮秋夕　名*翎星華陽巾

〔來　鵠〕聲*醒聽子規

〔李咸用〕明*醒青庭經依韻修睦上人山居十首
〔胡　曾〕城*青亭華亭
〔方　干〕明*庭星螢溟于秀才小池　明*扃星聽銘與桐廬鄭明府
〔羅　鄴〕生*形醒零經冬夕江上言事五首　程*青星行次
〔羅　虬〕瓊*屛婷比紅兒詩之五〇
〔唐彥謙〕清*扃星形丁賀李昌時禁苑新命
〔韓　偓〕卿*醒刑寧扃八月六日作四首之二
　　　　鳴*冥星鈴亭早發藍關　情*青萍重遊曲江　聲*醒庭日高　情*聽醒寧星寄溫州崔博士
〔韋　莊〕名*形醒對酒　名*庭經贈禮佛名者
〔張　蠙〕名*星經瓶扃贈棲白大師
〔黃　滔〕晴*萍庭青屛送二友遊湘中
〔殷文圭〕英*靈星青庭省試夜投獻座主
〔崔道融〕名*青星釣魚　聲*聽鈴羯鼓
〔周　曇〕清*靈馨衞靈公　卿*寧靈晉武帝
〔李　濤〕情*瓶廳春社從李昉乞酒

〔孟　賓于〕明*庭青公子行

〔李　中〕生*醒庭春夕偶作　聲*聽亭子規　生*汀亭醒青暮春吟懷寄姚端先輩

〔孟　貫〕情*汀庭青聽春江送人

〔劉　昭禹〕晴*青聽庭零閒蟬

〔譚　用之〕名*靈庭青萍閒居寄陳山人

〔孫　元晏〕營*星寧甘寧斫營　成*冥醒望仙閣

〔花蕊夫人〕行*蜓屛宮詞之一一六

〔貫　休〕星青經營*偶作　聲*扃聽青靈避地毘陵寒月上孫徽使君之三

成*馨苓缾寧山居詩之一二　傾*靈青冥惺經吳宮

〔齊　己〕名*寧青醒聽寄歸州馬判官　聲*聽庭經形蟋蟀　生*冥青星庭寄西山鄭谷神

驚*亭青形經沙鷗

〔虛　中〕成*靈經庭青寄華山司空圖之二

〔蘇　檢妻〕城*醒零與夫同詠詩

〔新林驛女〕輕*扃冥擊盤歌送歐陽訓酒

十蒸韻

韻字表

蒸冬合韻譜

通韻譜

〔貫　休〕峯*登崩僧騰懷匡山山長二首之二　龍*僧能罾騰寄新定桂雍

蒸庚合韻譜

通韻譜

〔馬　戴〕傾*陵鷹冰興邊將

〔杜荀鶴〕聲*凝冰僧層春日山中對雪有作

〔徐　鉉〕晴*冰增勝能陪鄭王相公賦筵前垂冰應教依韻

〔姚　揆〕晴*勝陵燈罾村行

蒸庚青合韻譜

正韻譜

〔徐　鉉〕京*勝冰凝星。和方泰州見寄

蒸青合韻譜

通韻譜

〔張　喬〕冰陵僧苓*贈友人

〔章　碣〕溟*冰燈凝層對月

〔曹　松〕櫺*癥僧繩能山中言事　熒*勝冰僧燈水精念珠

蒸侵合韻譜

正韻譜

〔李　郢〕冰勝凝簪*襟*水晶枕

十二侵韻　韻字表

侵眞合韻譜

正韻譜

〔于武陵〕陰新*沈金心早春日山居寄城郭知己

通韻譜

〔李群玉〕身*砧吟沈深請告南歸留別同館

〔李　中〕辛*岑深沈吟壬申歲承命之任淦陽再過廬山國學感舊寄劉鈞明府

侵庚合韻譜

通韻譜

〔呂　巖〕生*尋琛陰金五言之一三

十三覃韻

韻字表

覃文合韻譜

通韻譜

〔孫元晏〕分*南甘徐盛

覃成合韻譜

正韻譜

〔唐彥謙〕喃*酣留別四首之二

〔魚玄機〕三衫*銜*男慚喃*簪含諳參甘南光威裒姊妹三人少孤而始妍乃有是作

〔呂　巖〕三巖*嵐*杉潭七言之九二

十四鹽韻

韻字表

鹽覃咸合韻譜

正韻譜

〔和　凝〕嚴南巖*。宮詞之一〇

鹽咸合韻譜

正韻譜

〔劉　兼〕喃簾*嫌銜*簷春燕

十五咸韻

韻字表

咸覃鹽合韻譜

正韻譜

〔徐　鉉〕南*帆嚴*。凡甘*送元帥書記高郎中出爲婺源建威軍史

咸鹽合韻譜

通韻譜

〔司空圖〕簾*函衫楊柳枝壽杯詞之六

第三章　晚唐律體詩韻合韻論

顧氏音論考訂唐宋韻譜異同，謂廣韻韻目獨用、同用之注，係唐人功令（註一），今取晚唐律體詩韻較之，則頗有出入；且晚唐律體詩韻之與禮部韻略，亦有不同；故知晚唐之語音與韻書不盡相合，茲就歸納晚唐律體所得，論述於后：

一、東韻與冬韻

顧氏考訂唐人韻譜、禮部韻略皆東韻獨用而冬鍾同用。歸納晚唐律體得東冬通叶正韻十四例，通韻六十六例；冬東通叶正韻十例，通韻四十七例；合計東冬合韻共一百三十七例。

茲分錄東、冬二韻通叶韻字於后：

東韻　東童曨籠礲聾聾熊同桐筒中忡衷終弓穹窮躬宮戎工功攻紅鴻空公翁菘烘聰驄風楓蟲融蒙濛雄通嵩蓬叢馮（廣韻東韻）

重鍾衝鐘從蹤夆鋒烽蜂逢縫封容蓉溶茸庸墉慵松邛筇蛩龍舂供恭兇雍廣韻鍾韻

冬韻　冬宗琮踪農儂濃廣韻冬韻

按東冬二韻之通叶，於晚唐律體之通轉用韻，僅次支微、庚青之合韻，且以東冬二韻通叶之詩家里籍，幾遍全國；今又由晚唐律體東冬合韻多有正韻之例，可知晚唐東冬二韻之音讀，已難分辨。

觀諸方音，東冬二韻之音讀亦已無別；如：北平、濟南方音，東韻宮字音kuŋ，戎字音zuŋ；冬韻松字音suŋ，農字音nuŋ，從字音ts'uŋ，容字音zuŋ；二韻同收-uŋ。漢口、成都方音，東韻工字音koŋ，蟲字音ts'oŋ；冬韻松字音soŋ，從字音tsoŋ；二韻同收-oŋ。廈門方音，東韻聰字音ts'ɔŋ，終字音tsiɔŋ；冬韻松字音sɔŋ，從字音ts'ɔŋ；二韻同收-ɔŋ。雙峯方音，東韻聰字音ts'aŋ，隆字音naŋ；冬韻松字音saŋ，從字音dzaŋ；二韻同收-aŋ。雙峯又讀音，東韻聰音ts'ən，隆音nən，松音sən，從音dzən，則二韻同收-ən。故各地方音雖韻母有異，而二韻無別則一也。

今由晚唐詩人用韻以及方音之考查，知東冬二韻無別；至於韻書東冬分爲二韻，蓋因法言論韻，兼及「南北是非，古今通塞」，或古音二韻有別，法言從古音分之也。東冬既然無別，高本漢、王力、董同龢等音韻學者將東一冬、東二鍾擬成不同之音讀，或尚容商榷。

晚唐律體東冬二韻既已合用無別，則二韻只能擬為一音。今觀方音東冬二韻多讀為 -uŋ 或 -oŋ，王力等之擬音亦多不出 -uŋ、-oŋ，故知東冬之音讀當為 -uŋ 或 -oŋ；今據晚唐律體冬蒸合韻之關係推之，應以作 -oŋ 為宜，蓋因蒸為 -əŋ，主要元音 -ə- 與 -o- 較近而與 -u- 較遠也；日譯漢音，高麗譯音東冬二韻皆作 -oŋ 亦可引以為證，故今定作 -oŋ。如此則東一與冬為 -oŋ，東二與鍾為 -ioŋ 也。

冬蒸之合韻，見於貫休懷匡山山長一首以「峯、登、崩、僧、騰」通押；寄新定桂雍一首以「龍、僧、能、罾、騰」通押。按貫休浙江人，若以溫州方音考之，冬、蒸二韻同屬-ŋ 尾韻母，冬韻之主要元音為 -o-，蒸韻之主要元音為 -ə-，-o-、-ə- 相近，二韻相叶，亦自然之事；且今湖南、江西部分方音，東冬二韻全作 -əŋ，與蒸登無別，如東 təŋ 登 təŋ 同讀，以此觀之，則冬韻與蒸，自可合韻通叶。

二、江韻與陽韻

唐人韻譜、禮部韻略皆以江韻獨用而陽唐同用。歸納晚唐律體，得江陽通叶通韻六例，陽江通叶通韻五例；合計江陽合韻共十一例。茲分錄二韻通叶韻字於后：

江韻　江缸雙降窗摐（廣韻江韻）

陽韻　陽鄉香霜量瘡方妨涼長（廣韻陽韻）

堂光郎肓昂蒼（廣韻唐韻）

按江韻韻窄，詩家鮮有獨用者，由晚唐律體之歸納，知江韻多與陽韻合用；今因江陽之合韻，全屬通韻之例，故不能據以論定晚唐江陽二韻之音讀無別；然由二韻既得通轉，可以推知二韻之音讀當極為接近者也。

董同龢先生漢語音韻學云：「從許多韻書以外的材料，可知江攝老早就和宕攝字混了。」又云：「現代方言也沒有能分別江與宕的了。」今考北平、濟南、西安、漢口、成都、雙峯方音，江韻釭字音kaŋ，陽韻當字音taŋ；江韻江字音tɕiaŋ，陽韻鄉字音ɕiaŋ；北平、濟南讀窗為tʂ'uaŋ，漢口、成都則讀為ts'uaŋ，而四地之方音皆讀光為kuaŋ；可知江、陽二韻實已無別。

至於二韻之音讀，董同龢先生由方音宕攝為a類元音而又有轉讀為-o-之現象，定陽韻之主要元音為-ɑ-；而後據此定江為-ɔŋ（註二）。今之方音資料雖顯示江陽二韻無別，但晚唐律體詩韻只有通韻之例，為愼重見，仍以擬成不同之音讀為是。宕攝今定作-ɑŋ，江韻可擬-ɔŋ。二韻自極相近，方言中通叶亦極自然。故今定江為-ɔŋ，陽一為-iɑŋ，陽二為-iuɑŋ，唐一為-ɑŋ，唐二則為-uɑŋ。

三、支韻微韻與齊韻

唐人韻譜、禮部韻略皆支脂之三韻同用，微、齊二韻各自獨用。按支、微、齊三韻同屬寬韻，韻字極多，然詩人往往同用之。歸納晚唐律體得支微通叶正韻四例，通韻一百零六例；微支通叶正韻六例，通韻一百二十八例；合計支微合韻共二百四十四例。支齊通叶正韻一例，通韻五例；齊支通叶正韻二例，通韻十一例；合計支齊合韻共十九例。微齊通叶通韻三例，齊微通叶通韻六例；合計微齊合韻共九例。另有支微齊三韻同首互叶一例。茲分錄支、微、齊三韻通叶韻字於后：

支韻　枝肢岐卑移奇漪攲知漓羈離籬池兒宜爲隋隨雌髭澌垂儀規窺吹披陂卮差瀰匙麾涯羈羆衰（廣韻支韻）

脂遲墀師眉湄姿茨資誰維悲遺私追怩龜伊梨洟（廣韻脂韻）

之芝期旗蜞棋基欺時持詩絲疑癡辭詞祠茲滋思熙飢肌嗤媸怡飴頤（廣韻之韻）

微韻　微薇肥幃闈圍違飛非菲扉霏緋衣依妃歸畿機璣磯翬暉輝揮稀威巍（廣韻微韻）

齊韻　齊谿蹊雞溪棲悽萋堤題鞮圭畦西泥啼蹄迷笄低攜鯢藜嵇（廣韻齊韻）

支微合韻，於晚唐律體通轉用韻，最爲常見，二韻通叶之詩人里籍遍及全國，又有正韻之例，或晚唐支微二韻之音讀，已因語音系統演變而無別矣。

今考方音支韻全收 -i；微韻多作 -ui 或 -ei，吳音、日譯漢音則作 -i；故由支微二韻韻母極爲接近，又有二韻同讀之現象推之，二韻當是不別。晚唐律體用韻顯示支微二韻不分，近代方音又顯示二韻無別，故知法言之分支微，亦因古今南北之異也。

至於支齊合韻，雖例次較支微通叶爲少，合韻詩家之里籍分佈亦不及支微廣，然亦顯示晚唐二韻無別。若以方音言之，除日譯漢音、高麗譯音作 -ei，福州音作 -ɛ 外（註三），所有方言皆以齊韻收 -i，亦可推知支齊二韻無別。

微齊二韻之合韻，雖晚唐律體但有通韻而不見正韻，然今由支微無別，支齊不分推之，微齊二韻亦當無別；故劉兼倦學一首以「稀、媸、雞、知、之」五字通押而三韻互叶。

支、微、齊三韻旣已無別，其音讀亦當相同而不如高本漢、王力等所擬各韻互異。董同龢先生漢語音韻學云：「止攝包含這許多韻母，可是到了現代，他們差不多都混了。從大體說，他們都顯示著原來主要元音是 i 。」今考支、微、齊三韻零聲母之韻字衣、伊、醫、縊等字，方音皆讀作 -i，亦可推知三韻之韻母當爲 -i；而合口一類則爲 -ui。故今定支一、脂一、之、微一、齊一爲 -i，而支二、脂二、微二、齊二則爲 -ui。

至於支微齊與魚麻灰諸韻之通叶如下：

支麻通叶僅李群玉別狄佩一首以「花、飢、枝、儀、窺、知、時」通押。按持韻收-ɿ而麻韻收-a，二韻相去甚遠，以李群玉本籍湖南方音考之，亦不能得其究竟；然今以閩南方音讀之，花音xuei，則與支韻相近，故支麻之通叶，或某地方音之偶合者也。

支魚通叶亦僅一例，齊己喜彬上人見訪一首以「師、虛、居、蔬、蕖」通押。按魚韻收-iu而支韻收-i，二韻但有圓脣與展脣之別，且今以湖南方音讀之，師音ʂʅ，虛音ɕy，居音tɕy，蔬音sɹu，蕖音tɕ'y，師與虛居蕖等字之不同，亦在展脣圓脣；另福州方音師居蕖虛同收-y，興縣方音師收-ɿ而居虛後蔬等字收-yi；客家方音則讀-y為-i；是知支魚之合韻，乃係方音之偶叶也。

支灰合韻見於司空圖白菊一首以「催、垂、來」通押。按灰韻為-ei而支韻作-ui，二韻韻尾相同而主要元音則大異，然今考以司空圖本籍之山西方音，催讀作ts'uɛi，來讀作lɛi，垂亦讀作ts'uɛi，三字之韻母完全相同，故得通叶，是以支灰合韻，亦可視為方音之偶合者也。

微虞合韻見於羅隱青山廟一首以「嘔、夫、歸」通押。按微支不分，虞魚無別，故微虞之合韻，當與支魚合韻同屬因展脣、圓脣相近而合韻者也。今試以羅隱本籍浙江方音考之，溫州讀夫為fu，讀嘔為tɕ'y，入群之歸字則讀作tɕy，據此則歸字與嘔夫通押並未出韻，然就語音系統言之，微虞二韻之通叶，亦方音之偶合者也。

微灰合韻有胡曾番禺一首以「巍、回、臺」通押。按微灰合韻與支灰合韻同屬方音之偶合者，蓋因以湖南方音考之，臺音tai，回音fei，入群之巍字則音uei，故三字得以通叶合用，而胡曾，湖南人氏也。

齊灰合韻見於杜荀鶴題瓦棺寺眞上人院矮檜一首以「材、低、齊、棲、題」通押。按齊灰合韻，又同於支灰合韻。今以杜氏本籍山西之方音考之，材音ts'ɛi，低音ti，齊音ts'i，棲音ɕi，題音t'i，可能材字之主要元音-ɛ-受後接高元音韻尾-i影響而高化，故得與無尾韻母-i之低、題等字通叶；若以今日本保存之吳音讀之，材音zai，低音tai，齊音zai，棲音sai，題音dai，五字同收-ai，故其合韻通叶，乃屬必然，是知齊灰合韻，亦因方音故也。

四、魚韻與虞韻

唐人韻譜、禮部韻略皆以魚韻獨用而虞模同用。歸納晚唐律體，得魚虞通叶正韻四例，通韻三十一例；虞魚通叶正韻二例，通韻二十八例；合計魚虞合韻共六十五例。茲分錄魚、虞二韻通叶韻字於后：

魚韻　魚居裾虛墟梳疏蔬疎渠蕖書車餘除蜍躇如輿初鋤儲廬疽胥舒（廣韻魚韻）

虞韻　芋紆厨蹰姝珠株殊儒襦夫膚符須鬚芻趨雛褕榆愚隅無蕪區嶇衢梟俱廣韻虞韻

謨盧爐鱸壚轤枯姑圖孤途塗都蘇晡蒲梧壺胡湖烏呼吳廣韻模韻

今由晚唐律體魚虞合韻譜觀之，二韻通叶韻例甚多，又有正韻之例；且以二韻通叶之詩家里籍，遍及全國，可知晚唐魚虞二韻之音讀，恐因語音變化而已無別。今考諸方言，亦可推知二韻無別，如虞韻輸字與魚韻書字，北平、濟南皆音ʂu，西安皆音fu，太原、成都、揚州、汕頭、梅縣、廈門、潮州皆音ʂu，漢口、南昌、長沙、雙峯皆音ɕy，蘇州皆音sɥ，溫州皆音sɿ，廣州皆音sy，福州輸音sy 而書音tsy；是知法言魚虞分爲二韻，或因「南北是非」者也。

董同龢先生漢語音韻學云：「遇攝字的現代讀法不出u 、o 、y 以及由他們變化而生的複元音ou、œy 等，所以我們不難想像中古時期當有圓唇的後高元音，然而他不是u 而應當是o ，因爲u 不能再分開合，o 則可以加介音u ，又可以不加。」王力則擬魚爲-io，擬虞爲-u、-iu 兩類；高本漢則擬魚爲 -ǐwo，擬虞爲 -ǐu、-uo 兩類，而又承認方音宋以前有 -ǐwo轉爲 -ǐu，-uo轉爲-u之現象。據此，則魚虞二韻之音讀，當爲 -u、-iu兩類。汪榮寶氏歌戈魚虞模古讀考亦證明魚虞模三韻唐代之音讀爲 -u、-y，故今擬魚、虞爲-iu，而模則爲 -u。

五、佳韻灰韻麻韻與歌韻

唐人韻譜、禮部韻略均佳皆同用，灰咍同用，麻韻獨用而歌戈同用。歸納晚唐律體，得佳灰通叶通韻一例，灰佳通叶通韻六例；合計佳灰合韻共七例。麻佳通叶正韻一例，通韻二例，合計三例；麻歌通叶通韻四例，歌麻通叶通韻二例；合計麻歌合韻共六例。茲分錄佳、灰、麻、歌通叶韻字於后：

佳韻　佳娃崖街篩 廣韻佳韻

　　　乖階槐 廣韻皆韻

灰韻　回迴催杯枚槐 廣韻灰韻

　　　臺薹苔才材開哉栽來 廣韻咍韻

歌韻　歌多何羅 廣韻歌韻

　　　戈和磨波 廣韻戈韻

麻韻　家霞花斜邪牙茶賒涯沙 廣韻麻韻

佳、灰二韻之合韻，晚唐律體雖不見正韻之例，然由二韻通叶可以推知二韻當極爲接近。今考方音佳韻街字與灰韻開字，西安、三水讀作tɕiɛ 與k'ɛ，二韻同收 -ɛ。南京讀作tɕiai與kai，

二韻同收 -ai。太谷、文水讀作 tɕiɛi 與 k'ɛi，二韻同收 -ɛi。大抵方音佳、灰二韻之主要元音不出 -a-、-ɛ- 與 -e-，又受韻尾 -i 之影響，故往往合用通叶。今就晚唐律體佳、灰合韻詩家本籍方音觀之，莫不如是，故知佳灰之合韻，方音故也。

董同龢先生漢語音韻學云：「現代方言顯示蟹攝當是複元音有 i 韻尾，主要元音為 [a] 類元音。」按現代方音蟹攝之主要元音 -a-、-ɛ-、-e- 均有之，而日譯漢音則全作 -a-；今晚唐律體有麻佳合韻之例，麻韻為 -a，則佳韻當為 -ai 較合語音之變化；至於灰韻，由晚唐律體支灰、灰微、灰齊通叶知與支微齊近，由佳灰合韻知與佳韻亦近，又由方音之考查，知灰韻當作 -ei。故今定佳一皆一為 -ai，佳二皆二為 -uai，灰為 -uei，而咍當為 -ei。

歌、麻二韻之通叶，晚唐律體但有通韻之例，不足據以證明晚唐二韻無別，而由唐詩二韻可以通叶觀之，二韻當極為接近。汪榮寶歌戈魚虞模古讀考根據佛經漢譯證得六朝唐宋之音讀歌如麻；又方音麻韻多收 -a，歌韻多收 -o，而日譯漢音、高麗譯音以及安南譯音則二韻全收 -a，亦可推知歌、麻二韻之密近。

至於二韻之音讀，歷來學者皆擬歌為 -ɑ，擬麻為 -a，今亦認為可行。則歌為 -ɑ、-iɑ 與 -uɑ；麻當為 -a、-ua 及 -ia。

麻、佳二韻之音讀，既如上述有 -a、-ai 之不同，何晚唐律體又有麻佳通叶之例？按麻、佳二韻之不同，乃在佳韻多一高元音韻尾 -i；今考方音佳韻脣、牙、喉音有消失韻尾 -i 者，則主要元音與麻同矣；如：脣音罷字方音多音 pa，牙音佳字多音 tɕia 或 ka，喉音畫字方音多音 xua 或 ua；而晚唐律體佳、麻通叶韻字「佳、娃、崖」正屬牙、喉，故得通叶合用。

六、真韻文韻與元韻

眞、文、元三韻之通叶，於晚唐律體用韻之通轉，佔相當之比例。歸納晚唐律體，得眞文通叶正韻五例，通韻四十一例；文眞通叶通韻五十四例；合計眞文合韻共一百例。眞元通叶正韻一例，通韻十二例；元眞通叶正韻三例，通韻十四例；合計眞元合韻共三十例。文元通叶正韻二例，通韻十九例；元文通叶通韻十六例；合計文元合韻共三十七例。茲分錄眞、文、元三韻通叶韻字於后：

眞韻　眞人仁辛新薪親鄰麟鱗辰晨宸振塵賓濱貧神紳伸津頻寅秦旻因茵臣陳豳馴民珍身巾
銀筠（廣韻眞韻）
勻均鈞旬詢倫輪綸春淳巡迍遵（廣韻諄韻）
臻（廣韻臻韻）

文韻　文紋云雲芸分氛紛熏曛醺燻勳薰君裙群濆墳聞氳焚軍（廣韻文韻）

殷勤巾廣韻欣韻

元韻　元原源軒園喧萱暄言垣番幡潘翻繁掀猿寃廣韻元韻

魂昏閽門村尊樽罇存溫坤孫蓀論盆暾屯奔髡渾廣韻魂韻

痕根跟吞廣韻痕韻

按眞韻包括廣韻眞、諄、臻三韻，文韻包括廣韻欣、文二韻，元韻則包括廣韻元、魂、痕三韻。

欣文二韻，唐人韻譜各自獨用，禮部韻略則以韻窄而合用，故宋人韻譜欣文同用；後世詩韻亦以同用爲例。考諸方音，濟南讀欣爲ɕiẽ，讀文爲uẽ；西安欣讀作ɕiẽ，文讀作vẽ；廣州欣讀爲jɐn，文讀爲mɐn；二韻無別，故知欣、文之合用，非獨以韻窄而合併者也。高本漢文韻作ĭuən，欣韻作ĭən，則二韻之別但在開合，故得合韻通叶。

論眞文元之通叶，首當詳考元韻。按唐人韻譜、禮部韻略皆元、魂、痕三韻同用，然歸納晚唐律體詩，可以發現元韻與他韻之通叶現象特殊：凡元韻與眞文韻叶者，全屬廣韻魂痕韻字；與寒刪先韻叶者，全爲廣韻元韻字。不僅晚唐如此，宋代亦然（註四）。可知元韻雖包含廣韻元、魂、痕三韻而同用，實則又可分爲元與魂痕二部也。

眞、文、元三韻同屬-n尾韻母；董同龢先生漢語音韻學由早期韻圖痕魂欣文同一系統，推論痕魂欣文之主要元音相同，據此則文韻與元韻魂痕之部當無別矣！今觀晚唐律體，文元通叶之例甚多，又有正韻之例，可知晚唐二韻或已無別；觀諸方音，二韻亦多相同，如：北平、漢口、成都、揚州、蘇州、長沙、雙峯方音，文魂皆收 -uən 而痕收 -ən；太原文魂痕同收 -uŋ，厦門、梅縣文魂痕同收 -un，廣州則文魂痕皆收 -an。由此可以推知晚唐文與魂痕，當已無別。

眞文之合韻，晚唐律體屢有所見；更有正韻之例，可知二韻晚唐或已不分。今試以方音考之：按中國北方暨長江流域附近，廣韻眞、諄、文三韻多已讀爲 -ən，如眞韻人字，北平、長沙音 zən，成都、蘇州音 zən，揚州音 lən；諄韻春字，北平音 tʂʻuən，成都、揚州音 tsʻuən，蘇州音 tsʻən，雙峯音 tʻuən；文韻分字，北平、漢口、成都、揚州、蘇州皆音 fən；由此可以推知以中國大陸北方及長江流域爲主要活動區域之唐宋時期，眞諄文三韻之合用，乃語音系統演變之必然現象，故晚唐律體以眞文二韻通叶之詩家里籍，遍及全國（註五）。

眞文既已無別，文元（魂痕）復又不分，今晚唐律體更有眞元（魂痕）合用之例，可知眞、文、元（魂痕）三韻，晚唐已無區別，故得合韻通叶；鄭損星精亭一首以「痕、鄰、雲、聞、人」通押，呂巖七言一首以「門、雲、君、輪、氳」通押，劉兼長春節一首以「春、焚、尊、存、蓀」通押，三韻互叶，除可證明三韻之關係，更可據以說明元韻與眞文協韻之範圍。

董同龢先生由古今方音之演變，推得欣文魂痕之主要元音為 -ə-；又今方音眞、文、元（魂痕）三韻字多讀為 -ən；且就晚唐律體侵眞、眞庚、眞蒸等合韻關係推之，蒸韻既定作 -əŋ，則眞韻之主要元音亦當為 -ə-，故今擬臻、痕為 -ən，眞一、欣為 -iən，魂為 -uən，眞二、諄與文則當為 -iuən。

眞文元三韻與他韻之合韻如下：

徐鉉從駕東幸呈諸公一首以「城、春、親、塵、津」通押，九日落星山登高以「成、賓、人、倫、身」通押，贈滕宗諒一首以「人、城、橫」通押，是有眞庚之合韻；劉得仁送祖山人歸山一首以「雲、城、生、迎、名」通押，周朴望中懷古一首以「雲、名、平、明、傾」通押，故有文庚之合韻。按庚韻今擬作 -əŋ，雖主要元音與眞文相同，韻尾則有舌尖與舌根之異；然就方音言，長江流域庚、青、蒸等舌根鼻音韻尾 -ŋ，多轉讀為舌尖鼻音 -n，如庚韻庚字，漢口、成都、揚州、蘇州、長沙音 kən，南昌音 kiɛn；青韻星字，漢口、成都、雙峯、南昌音 ɕin，蘇州、長沙音 sin，梅縣音 sɛn；蒸韻蒸字，漢口、成都、揚州、蘇州、南昌、梅縣音 tsən，長沙音 tʂən，雙峯音 tɕin。另方言又有讀舌尖鼻音 -n 為舌根鼻音 -ŋ 者，如眞韻春字，太原、潮州、福州音 ts'uŋ，溫州音 tɕ'yoŋ；文韻群字，太原音 tɕ'yŋ，潮州音 k'uŋ，福州音 kuŋ，溫州音 dzyoŋ；故眞文與庚，得以通叶。

董同龢先生漢語音韻學云：「如下江官話與西南官話，吳語也是不分-en 與-eŋ 以及-in 與-iŋ 的，各地不是全併爲-en 與-in，就是全併爲-eŋ 與-iŋ。」又云：「國語的 -an 與-aŋ、-uan 與-uaŋ，下江官話有許多不分的。」可知許多方音舌尖鼻音-n 與舌根鼻音-ŋ 合流同用。考諸晚唐律體眞庚、文庚合韻之詩家徐鉉、呂巖、周朴等本籍江蘇、山西、浙江等地之方音，皆-n、-ŋ合用不分者也。呂巖絕句一首更以「倫、名、君」通押而眞文庚互叶；故知眞庚、文庚之合韻，乃因方音故也。

眞蒸合韻有李建勳送致仕郎中一首以「稜、銀、人、巡、親」通押。按眞、蒸韻尾之變化與眞庚同，二韻主要元音又同，故得通叶。若以李氏本籍方音考之，蘭州讀稜爲lə̃，讀銀爲iə̃，讀人爲ʑə̃，讀巡爲ɕyə̃，讀親爲tɕ'iə̃，又與上述推論合，故二韻合用。

眞侵合韻見於呂巖答僧見一首以「身、金、春、親」通押。按侵眞二韻之主要元音，亦可由晚唐律體合韻關係推知同爲央元音-ə-，所別乃在韻尾-m、-n 之不同；然今以方音觀之，雙脣鼻音韻尾-m 多改讀爲-n，如金字，北平、漢口、成都、蘇州、長沙、雙峯、南昌皆音tɕin；禁字、今字亦同；另韻尾不改讀爲-n 之方音，侵、眞二韻之韻母亦多相混，如侵韻金字與眞韻斤字，濟南、西安皆音tɕiə̃，太原皆音tɕiŋ，揚州皆音tɕĩ，溫州皆音tɕiaŋ。可知眞侵二韻，方音多合流不別。今以呂氏本籍山西方音考之，身音sə̃，金音tɕiə̃，春音ts' uə̃，親音tɕʻiə̃ 各字同收-ə̃，故得通叶也。

文覃合韻有孫元晏徐盛一首以「分、南、甘」通押。按孫氏之里籍不可確知，故文覃合韻之理亦不可詳考；或方音覃韻多讀作-an，而以 -an、-ɐn 相近故得通叶者也。

元韻與寒、刪、先諸韻之合韻，以廣韻元韻爲主。歸納晚唐律體得元寒通叶正韻一例，通韻二例；寒元通叶通韻五例；合計元寒合韻共八例。元刪通叶通韻三例；刪元通叶通韻二例；合計元刪合韻共五例。元先通叶通韻八例；先元通叶正韻二例，通韻十四例；合計元先合韻共二十四例。另有元寒先三韻同首互叶四例；元刪先同首互叶一例；元寒刪先四韻同首互叶一例。

由晚唐律體元與寒刪先間有正韻之例，可知元與寒刪先諸韻之關係當已相同；等韻元與寒刪先同入山攝，今方音四韻多同作-an，更可推知元韻與寒刪先之元音相同。

今按廣韻魂痕與元韻既因與眞文、寒刪先通叶而分二部，元音既已不同，則晚唐律體元與魂痕同用，當係功令同用之故；許氏奏請同用之時，此三韻之元音當相同，竊以爲元魂痕三韻之主要元音本同爲 -ɐ-，分別爲痕 -ɐn、魂 -uɐn 與元 -iɐn、-iuɐn，故韻書以其主要元音、韻尾相同而併爲元韻；後來魂痕因受韻尾 -n 影響高化爲 -ən 及 -uən，故常與眞文通叶；元韻則受 -i- 影響元音前移爲 -a-，是以常與寒刪先叶，故晚唐五代韻圖魂痕入臻攝，元入山攝。故今以爲晚唐詩人元韻分爲二類，即魂爲 -uən，痕爲 -ən，而元則爲 -ian 與 -iuan。

七、寒韻刪韻與先韻

唐人韻譜、禮部韻略皆以寒桓同用，刪山同用而先仙同用。歸納晚唐律體得寒刪通叶正韻三例，通韻三十三例；刪寒通叶正韻三例，通韻二十六例；合計寒刪合韻共六十四例。寒先通叶正韻一例，通韻十八例；先寒通叶通韻十二例；合計寒先合韻共三十一例。刪先通叶通韻二十四例；先刪通叶通韻十四例；合計刪先合韻共三十八例。茲分錄寒、刪、先三韻通叶韻字於后：

寒韻　寒闌欄瀾乾殘看安歎難灘壇檀單彈殫丹干竿玕奸餐珊廣韻寒韻

歡懽觀般瘢團摶塼冠寬鑾鸞端官丸刓廣韻桓韻

刪韻　攀還寰鬟環顏蠻灣斑班板瑸般廣韻刪韻

山間閑關潺慳廣韻山韻

先韻　先天巔千芊煙賢眠前年邊蓮田鈿研妍鵑懸玄牋弦廣韻先韻

仙湲偏篇編禪蟬鮮全筌錢船鉛圓筵川權緣然連泉傳宣遷煎捐娟氈綿鞭聯廣韻仙韻

晚唐律體寒、刪、先三韻間之通叶合用，極爲普遍，今以三韻通叶例次既多，又有正韻、三韻同首互叶之例，且三韻通叶之詩家里籍遍及全國，故可推知晚唐三韻當已難於分辨。

今觀方音，寒刪先三韻亦多讀爲-an而無別，如寒韻難字，北平、漢口、成都、長沙、梅縣音nan，南昌、厦門音lan；刪韻斑字，北平、漢口、成都、長沙、南昌、梅縣、厦門皆音pan；先韻蟬字，北平音tʂ'an，漢口、成都音san，厦門音sian。

晚唐律體、近代方音既均顯示寒、刪、先三韻無別，則法言之分韻，或以古今通塞故也。由此亦可推知前賢之擬寒、刪、先各韻不同，皆有未切，蓋因三韻無別則當只擬一音也。

董同龢先生漢語音韻學云：「多數方音都表示這一攝的字當有a 類元音。」又云：「許多官話方言三四等的元音都是e ，顯然是介音的影響了。」今以晚唐律體有元寒刪先之合韻，且方音寒刪先多作-an，故擬寒刪先韻之主要元音爲-a-，而寒、刪一、山一爲-an，桓、刪二、山二爲-uan、先一、仙一爲-ian，先二、仙二則當爲-iuan。

先鹽合韻有花蕊夫人宮詞一首以「纖、邊、牽」通押，佚名鳳皇臺怪和歌一首以「添、煙、邊」通押。按鹽韻今擬作-am，二韻主要元音相同而韻尾則異，然方言雙脣鼻音韻尾-m多已改收舌尖鼻音-n，故二韻可以通叶。

八、蕭韻肴韻與豪韻

唐人韻譜、禮部韻略皆蕭宵同用而肴、豪各自獨用。歸納晚唐律體得蕭肴通叶正韻二例，通韻四例；肴蕭通叶正韻一例，通韻二例；合計蕭肴合韻共九例。蕭豪通叶正韻二例，通韻五例；豪蕭通叶正韻三例，通韻六例；合計蕭豪合韻共十六例。肴豪通叶正韻一例，通韻一例；豪肴通叶通韻一例；合計肴豪合韻共三例。茲分錄蕭、肴、豪三韻通叶韻字於后：

蕭韻　蕭簫邀聊寥凋僚條（廣韻蕭韻）

霄銷綃痟消翹燒饒嬈喬嬌橋招韶標飄恌飆瑤傜遙腰苗朝潮杓焦樵（廣韻宵韻）

肴韻　交郊茅抄巢梢鞘拋嘲敲（廣韻肴韻）

豪韻　豪毛旄濤勞嗥刀槽陶袍騷猱艘敖桃高（廣韻豪韻）

蕭、肴、豪三韻之通叶雖不多見，然今以晚唐律體三韻通叶正韻之例所居之比例，可知三韻當是無別。

觀諸方音，三韻之韻母則多讀作 -au 而無別，如蕭韻超字，北平、西安、長沙音tʂ'au，太原、漢口、成都、梅縣音ts'au；肴韻拋字，北平、西安、太原、漢口、成都、長沙、廣州、梅縣、廈門、潮州、福州皆音p'au；豪韻高字，北平、西安、太原、漢口、長沙、南昌、梅縣、潮州皆音kau。是知法言之分韻，亦以古音不同而分者也。

董同龢先生漢語音韻學云：「本攝當有［a］類主要元音以及u韻尾，就多數方言很容易看出。」今方音雖多作-au者，然以日譯漢音、吳音以及高麗譯音皆收-o，又許多方音作-ou、-ɔ等現象觀之，應以擬作-au較合於語音之變化。故今擬蕭、宵為-iau，肴、豪為-au。

九、庚韻青韻蒸韻與侵韻

唐人韻譜、禮部韻略皆以庚耕清合用，青韻獨用，蒸登同用而侵韻獨用（註六）。歸納晚唐律體得庚青通叶正韻六例，通韻一百一十一例；青庚通叶正韻四例，通韻五十八例；合計庚青合韻共一百七十九例。庚蒸通叶通韻三例；蒸庚通叶通韻四例；合計庚蒸合韻共七例。庚侵通叶正韻一例，通韻一例；侵庚通叶通韻一例；合計庚侵合韻共三例。蒸青通叶通韻四例；蒸侵通叶正韻一例；另有庚青蒸三韻同首互叶一例。茲分錄庚、青、蒸、侵四韻通叶韻字於后：

庚韻　更橫生迎平明鳴驚擎行兵英京亨榮嶸羹卿兄觥獰撐鐺莖 廣韻庚韻

耕爭箏鶯 廣韻耕韻

清明情精鶄成城誠盛名傾呈程纓旌并輕營楹瀛貞聲錫瓊 廣韻清韻

青韻　青形刑冥溟螢暝靈櫺庭蜓霆丁汀亭停婷扃坰聽廳萍寧苓泠齡翎鈴瓴舲零星醒腥惺屏

鉼瓶謦經螢熒銘廣韻青韻

蒸韻　癥澄陵凝冰勝鷹興繩廣韻蒸韻

登燈崩能僧層罾增騰稜廣韻登韻

侵韻　金簪襟陰沈深琛岑吟砧尋心廣韻侵韻

庚青二韻之通叶，於晚唐律體之通轉合韻，僅次支微之通轉；今由其通轉例次既多，又有正韻之例且二韻通叶詩人里籍遍及全國，故可推知晚唐二韻當已無別。

按庚、青、蒸三韻同屬 -ŋ 尾韻母，然於方音中則隨地域之轉移而轉移，大抵長江流域諸省之方音改收 -n，中國大陸北方及南方沿海則仍收 -ŋ。而由於此一語根區域性之變化，使得三韻之音讀混同。如庚韻更字與蒸韻登字，北平、濟南、西安、太原同收 -əŋ，漢口、成都、揚州、蘇州同收 -ən。庚韻京字與青韻星字，北平、濟南、西安、太原同收 -iŋ，漢口、成都、揚州、蘇州則同收 -in。青韻聽字與蒸韻應字，北平、濟南、西安、太原同收 -iŋ，漢口、成都、揚州、蘇州則同收 -in。因此庚、青、蒸三韻得以通叶合用。今晚唐律體雖不見青蒸之合韻，而徐鉉和方泰州見寄一首以「京、勝、冰、凝、星」通押，庚青蒸三韻同首互叶，則可說明三韻之合流也。

蒸韻之主要元音擬作 -ə-，最無疑問，王力、高本漢以及董同龢先生雖於他韻之擬音，參差不一，於蒸韻則一皆作 -ɐŋ。蒸韻旣作 -ɐŋ，由晚唐律體庚青蒸三韻合流，方音曾、梗二攝不分推之，三韻當皆擬爲 -ɐŋ；而庚一、耕一、登一爲 -ɐŋ，庚二、耕二、登二爲 -uɐŋ，庚三、清一、青一、蒸爲 -iɐŋ，庚四、清二、青二則當爲 -iuɐŋ。

庚、蒸與侵之合韻共四例。庚侵合韻有羅隱遇邊使一首以「城、金」通押；司空圖虞鄉北原一首以「獰、耕、金」通押；呂巖五言一首以「生、尋、琛、陰、金」通押。蒸侵合韻有李郢水晶枕一首以「冰、勝、凝、簪、襟」通押。

若由晚唐律體蒸庚與侵之合韻共四例而有正韻二例之現象觀之，侵與庚蒸當是不別。按侵韻原收雙脣鼻音 -m，而方音有收 -n 或 -ŋ 者；今考羅隱四人本籍之方音，侵韻字皆收 -ŋ，與蒸庚無別，故得合韻通叶。至於侵韻之主要元音，由眞侵不分、庚蒸侵無別觀之，亦應爲 -ə-，故今擬侵爲 -iəm。

十、覃韻鹽韻與咸韻

覃、鹽、咸三韻均爲詩之險韻，故用之者鮮。歸納晚唐律體得覃咸通叶正韻三例；鹽咸通叶正韻一例；咸鹽通叶通韻一例；另有覃鹽咸三韻同首互叶二例。茲分錄覃、鹽、咸三韻通叶韻字於后：

覃韻　潭南男簪含諳參嵐（廣韻覃韻）

　　　甘酣三慚（廣韻談韻）

鹽韻　簷簾纖（廣韻鹽韻）

　　　添嫌（廣韻添韻）

　　　嚴（廣韻嚴韻）

咸韻　喃杉函巖（廣韻咸韻）

　　　銜衫（廣韻銜韻）

　　　凡帆（廣韻凡韻）

按唐人韻譜侵韻以下九韻：侵韻獨用、覃談同用、鹽添各自獨用、咸銜同用、嚴凡同用。禮部韻略則：侵韻獨用、覃談同用、鹽添嚴同用、咸銜凡同用。至於廣韻則為：侵韻獨用、覃談同用、鹽添同用、咸銜同用、嚴凡同用。今之歸例，係以宋以後之詩韻為準，亦即依禮部韻略之分韻歸部。

禮部韻略之於廣韻或顧氏考訂之唐人韻譜，均為較寬，今考以較寬之韻仍得覃咸正韻三例，鹽咸正韻一例，咸鹽通韻一例，以及覃鹽咸三韻同首互叶二例，可知晚唐覃、鹽、咸三韻實已混用不分。

按覃、鹽、咸三韻原收雙脣鼻音 -m，今方音則多改收舌尖鼻音 -n。董同龢先生漢語音韻學云：「凡在 -m 變 -n 的方言，咸攝字與山攝字都不分；又在韻尾不同的方言，元音也一樣；所以他們有相類的主要元音是沒有問題的。」今按山攝擬作 -an，覃、鹽、咸三韻方音亦多讀作 -an，故擬覃、談、銜、咸為 -am，鹽、添、嚴為 -iam，凡則當為 -iuam。

由上述諸韻之討論，故可知晚唐語音韻部變化之大略，玆表列晚唐詩韻、廣韻韻值之對照於后：

晚唐詩韻廣韻韻值對照表：

上平聲

詩韻	廣韻		韻值
東	東	洪	oŋ
		細	ioŋ
冬	冬		oŋ
	鍾		ioŋ
江	江		ɔŋ
支	支	開	i
		合	ui
	脂	開	i
		合	ui
	之		i
微	微	開	i
		合	ui
魚	魚		iu

虞	虞		iu
	模		u
齊	齊	開	i
		合	ui
佳	佳	開	ai
		合	uai
	皆	開	ai
		合	uai
灰	灰		uei
	咍		ei
眞	眞	開	iən
		合	iuən
	諄		iuən
	臻		ən

文	文		iuən
	欣		iən
元	元	開	ian
		合	iuan
	魂		uən
	痕		ən
寒	寒		an
	桓		uan
刪	刪	開	an
		合	uan
	山	開	an
		合	uan

下平聲

詩韻	廣韻	開合	韻值
先	先	開	ian
先	先	合	iuan
先	仙	開	ian
先	仙	合	iuan
蕭	蕭		iɑu
蕭	宵		iɑu
肴	肴		ɑu
豪	豪		ɑu
歌	歌		ɑ
歌	戈	開	iɑ
歌	戈	合	uɑ
麻	麻	開	a
麻	麻	開	ia
麻	麻	合	ua

詩韻	廣韻	開合	韻值
陽	陽	開	iɑŋ
陽	陽	合	iuɑŋ
陽	唐	開	ɑŋ
陽	唐	合	uɑŋ
庚	庚	開	əŋ
庚	庚	合	uəŋ
庚	庚	開	iəŋ
庚	庚	合	iuəŋ
庚	耕	開	əŋ
庚	耕	合	uəŋ
庚	清	開	iəŋ
庚	清	合	iuəŋ
青	青	開	iəŋ
青	青	合	iuəŋ

詩韻	廣韻	開合	韻值
蒸	蒸		iəŋ
蒸	登	開	əŋ
蒸	登	合	uəŋ
尤	尤		iəu
尤	侯		əu
尤	幽		iəu
侵	侵		iəm
覃	覃		am
覃	談		am
鹽	鹽		iam
鹽	添		iam
鹽	嚴		iam
咸	銜		am
咸	咸		am
咸	凡		iuam

【附註】

註　一：馬宗霍先生音韻學通論據玉海推論廣韻之注，乃丘雍所訂而非唐人功令。見音韻學通論頁一三八、一三九。

註　二：見漢語音韻學頁一六六、一七五。

註　三：福州音高本漢支音tɕie，齊音tɕɛ，並注云：福州音在齒音聲母後-ɛ是常例，-i只見於低、抵、底*ti，牴ti，堤提tʻi（-i與-ɛ並存時，-i是文言音）還有-ie在薙、剃、啼*tie，砌tɕie。故此當除福州音於外。

註　四：見耿志堅先生宋代律體詩用韻之研究頁一二九—一三一。

註　五：臻韻字少，方言字彙、方音字匯均不錄。不得其詳。

註　六：侵韻之語音變化與眞文較近，今以其在晚唐律體與庚、蒸合韻較多，故次於此。

第四章　結　論

第一節　晚唐詩人用韻所顯示之語音現象

晚唐律體詩合韻情形，已如上述，其韻部之合用，多由於方音，馬宗霍先生唐人用韻考不舉晚唐，正以其多用方音之故也。再者，晚唐律體之通叶，雖多係鄰韻，然非鄰韻而通叶者亦夥。按詩之押韻，音必相近而後可叶，晚唐詩人以方音爲韻，雖與詩律不合，今則可由其通叶之例，推得晚唐各地語音韻部通轉之遠近，藉以探尋晚唐語音系統之大略。玆表列晚唐律體詩韻合韻之統計以及各地韻部通轉之考查於后：

表一　晚唐律體詩韻合韻之統計

陽聲韻

主韻＼合韻	東	冬	江	眞	文	元	寒	刪	先	陽	庚	青	蒸	侵	覃	鹽	咸
東		80															
冬	57																
江										6							
眞					46	13					3		1	1			
文				54		21											
元				17	16		3	3	8		1						
寒						5		35	19								
刪						2	29		24								
先						16	12	14								2	
陽			5														
庚				1	2							117	3	2			
青											62						
蒸		2									4	4		1			
侵				3							1						
覃					1												3
鹽																	1
咸																1	

(一)此二表當由右至左橫看，縱者爲主韻韻目，橫者爲合韻韻目，表中數字乃表示合韻譜中韻例之數目（三部通押之例不在內），如東韻合韻譜，東冬合韻例80次，則於橫列冬韻下以80示之。

(二)三部（以上）通押之例共19次韻目、次數如下：

江覃咸　1

支微齊　1

陰聲韻

主韻＼合韻	支	微	魚	虞	齊	佳	灰	蕭	肴	豪	歌	麻	尤
支		110			6							1	
微	134				3								
魚	1			35									
虞		1	30										
齊	13	6					1						
佳							1						
灰	1	1			1	6							
蕭									6	7			
肴								3		2			
豪								9	1				
歌												2	
麻						3					4		
尤													

齊歌支	1
眞文元	1
文元眞	1
元眞文	1
元寒先	1
寒元先刪	1
寒先刪	1
刪先寒	1
先元寒	3
先元刪	1
唐眞文	1
庚青眞	1
蒸庚青	1
鹽覃咸	1
咸覃鹽	1

表二　晚唐律體詩韻各地通轉之考查

里籍＼韻目	東冬	冬蒸	江陽	江覃咸	支微	支微齊	支魚	支齊	支齊歌	支灰	支麻	微虞	微齊
河南	v				v				（嶺南）				
河北					v								
山東	v				v			v					
山西	v			v	v			v		v			
陝西	v		v		v	v		v					
江蘇	v		v		v			v					v
浙江	v	v	v		v							v	
安徽	v				v								v
湖南	v		v		v		v				v		
湖北	v		v		v								
四川	v				v								
江西	v				v								
福建	v		v		v			v					
廣東	v				v								
廣西					v								
雲南	v				v								
甘肅	v				v			v					v

本考查表係將晚唐詩人里籍依其所屬今之省份為單元；表中凡有「v」符號者，表韻譜中，該省作者有以上列韻目合韻者，至若里籍不詳者從略，但里籍不詳又僅出現一次者，則存其目。

里籍＼韻目	微灰	魚虞	齊灰	佳灰	佳麻	眞文	眞文元	眞文庚	眞元	眞庚	眞庚青	眞蒸	眞侵	文元
河南		v			v	v								
河北		v			v	v			v					v
山東				v		v								
山西		v				v	v	v	v	v	v		v	v
陝西		v		v		v	v		v					v
江蘇		v				v				v				v
浙江		v	v	v	v	v			v					v
安徽		v	v			v			v					v
湖南	v	v				v			v					v
湖北		v				v			v					
四川		v				v			v					
江西		v				v			v					v
福建		v				v								v
廣東		v				v								v
廣西														v
雲南						v								
甘肅		v				v			v			v		v

里籍＼韻目	文庚	文覃	元寒	元寒删先	元寒先	元删	元删先	元先	元庚	寒删	寒删先	寒先	删先
河南								v		v			v
河北													
山東										v		v	
山西				v	v			v	v	v	v	v	v
陝西			v		v			v		v		v	v
江蘇							v	v		v		v	v
浙江	v		v					v		v		v	v
安徽			v		v	v		v		v		v	v
湖南								v		v		v	
湖北										v			v
四川			v					v		v			v
江西										v		v	v
福建						v				v		v	v
廣東			v					v				v	v
廣西								v				v	
雲南										v			
甘肅			v					v		v			v

里籍＼韻目	先鹽	蕭肴	蕭豪	肴豪	歌麻	庚青	庚青蒸	庚蒸	庚侵	青蒸	蒸侵	覃咸	覃鹽咸	鹽咸
河南		∨				∨								
河北						∨								
山東						∨							∨	
山西		∨	∨	∨		∨			∨			∨		∨
陝西		∨	∨		∨	∨		∨			∨	∨		∨
江蘇					∨	∨	∨	∨					∨	
浙江			∨			∨			∨	∨				
安徽		∨	∨	∨	∨	∨		∨		∨				
湖南						∨								
湖北						∨								
四川	∨					∨								
江西						∨								
福建						∨								
廣東						∨		∨						
廣西						∨								
雲南														
甘肅		∨	∨			∨								

由上列諸表，可知晚唐韻部變化之大要，略而言之，東冬、支微、魚虞、眞文、文元、寒刪、刪先、庚青等鄰韻之通叶，居其大部，詩人里籍分佈亦較廣；其餘不屬鄰韻通叶者，例次較少而分佈地域亦較小。另由晚唐律體用韻通轉與方音之比較，可以發現晚唐語音有舌尖鼻音韻尾 -n 與舌根鼻音韻尾 -ŋ 相混以及雙脣鼻音韻尾 -m 消失之現象，茲就歸納晚唐律體所得，論述於后：

一、雙脣鼻音韻尾-m消失

覃、鹽、咸三韻原收雙脣鼻音 -m，然現代方言除福州改讀 -ŋ 外，今多讀作舌尖鼻音 -n，甚或消失鼻音韻尾。侵韻除福州方音外，尚有溫州、上海以及山西等方音收 -ŋ，而收舌尖鼻音 -n 及韻尾消失之情形，則一如覃鹽咸三韻。

晚唐律體詩韻覃、鹽、咸與侵韻除四韻互叶外，有眞侵、文覃、先鹽、庚侵、蒸侵等合韻之例。按眞、文、先三韻收舌尖鼻音 -n，蒸、庚二韻收舌根鼻音 -ŋ，侵、覃、鹽三韻則收雙脣鼻音 -m；然今考詩人本籍之方音，則雙脣鼻音韻尾 -m 多已改讀爲舌尖鼻音 -n 或舌根鼻音 -ŋ，茲分述如下：

1. 眞侵合韻

呂巖答僧見一首以「身、金、春、親」通押而眞侵合韻，按呂巖山西人，而今太原方音讀身爲sən，讀金爲tɕiŋ，讀春爲ts'uŋ，讀親爲tɕiŋ，侵韻金字與眞韻各字同收舌根鼻音-ŋ。今太原方音雖未必即沿襲晚唐之音，然其音讀-m、-ŋ兩種韻尾相混，亦略可顯示其端倪矣。後凡引方言相證者倣此，不更贅說。

2.文覃合韻

孫元晏徐盛一首以「分、南、甘」通押而文覃合韻。按孫氏之里籍已不可確知，然今考方音北平、漢口、成都、長沙、南昌等甘、南二字均收-n與文韻分字韻尾無別。

3.先鹽合韻

花蕊夫人宮詞一首以「纖、邊、牽」通押；佚名白衣女鳳皇臺怪和歌一首以「添、煙、邊」通押而先鹽合韻。按白衣女不知何人，花蕊夫人則四川人氏，今以成都方音考之，纖讀作tɕ'ian，邊讀作pian，牽讀作tɕ'ian；鹽韻纖字與先韻邊、牽二字同收舌尖鼻音-n。

4.庚侵合韻

羅隱遇邊使一首以「城、金」通押；司空圖虞鄉北原一首以「獰、耕、金」通押；呂巖五言一首以「生、尋、琛、陰、金」通押而庚侵合韻。按羅隱浙江人，而今溫州方音城讀作zeŋ，金讀作tɕiaŋ，二韻同收舌根鼻音-ŋ。司空圖山西人，今太原方音獰讀作niŋ，耕讀作kəŋ，金讀作zeŋ，金與庚韻獰、耕二字同收-ŋ。呂巖亦山西人，今太原方音讀生爲səŋ，讀尋爲ɕyŋ，讀琛爲ts'eŋ，讀陰爲iŋ，讀金爲zeŋ，二韻亦同收舌根鼻音韻尾-ŋ。

5.蒸侵合韻

李郢水晶枕一首以「冰、勝、凝、簪、襟」通押而蒸侵合韻。李郢陝西人，而今西安方音冰讀作piŋ，勝讀作ʂəŋ，凝讀作ȵiŋ，簪讀作tʂẽ，襟讀作tɕiẽ；侵韻簪、襟二字之韻尾雖與蒸韻字不同，而由二字收-ẽ觀之，亦可知其雙脣鼻音韻尾-m已轉讀與舌根鼻音-ŋ相近而混用矣！

故由晚唐律體通轉用韻與方音之對照，可知晚唐部分方音雙脣鼻音韻尾-m多已轉讀爲舌尖鼻音-n或舌根鼻音-ŋ。

二、舌尖鼻音韻尾-n與舌根鼻音韻尾-ŋ相混

晚唐律體詩韻舌尖鼻音韻尾-n與舌根鼻音韻尾-ŋ往往相混，大抵長江流域舌根鼻音-ŋ多轉讀爲舌尖鼻音-n；南方沿海則改舌尖鼻音韻尾-n爲舌根鼻音韻尾-ŋ。晚唐律體-n、-ŋ韻尾相混之例有眞庚、眞文庚、眞蒸、文庚、元庚、眞庚青等合韻，茲分述於后：

(一)舌根鼻音韻尾-ŋ轉讀為舌尖鼻音韻尾-n

徐鉉從駕東幸呈諸公一首以「城、春、親、塵、津」通押，九日落星山登高一首以「成、賓、人、倫、身」通押而眞庚合韻。徐鉉，江蘇人，今以蘇州方音讀之，城音zən，春音ts'ən，

親音ts'in，塵音zən，津音tsin；成音zən，賓音pin，人音zən，綸音lən，身音sən；原收舌根鼻音-ŋ之庚韻城、成二字已改收舌尖鼻音-n而與眞韻相混。

(二)舌尖鼻音韻尾-n轉讀為舌根鼻音韻尾-ŋ

晚唐律體詩韻韻尾-n、-ŋ混者，多讀舌尖鼻音-n爲舌根鼻音-ŋ，茲分述於后：

1.眞庚合韻

呂巖七言一首以「行、親、珍、銀、春」通押，贈滕宗諒一首以「人、城、橫」通押而眞庚合韻。呂巖，山西人，今考太原方音讀行爲ɕiŋ，讀親爲tɕ'iŋ，讀珍爲tsəŋ，讀銀爲iŋ，讀春爲ts'uŋ；讀人爲zəŋ，讀城爲ts'əŋ，讀橫爲xəŋ；眞韻親、珍、銀、春、人字均已改收舌根鼻音-ŋ。

2.眞文庚合韻

呂巖絕句一首以「倫、名、君」通押而眞文庚合韻。今以山西方音讀之，倫音luŋ，名音miŋ，君音tɕyŋ，倫君二字亦已改舌尖鼻音韻尾-n爲舌根鼻音韻尾-ŋ。

3.文庚合韻

劉得仁送祖山人歸山一首以「雲、城、生、迎、名」通押，周朴望中懷古一首以「雲、名、平、明、傾」通押而文庚合韻。劉得仁之里籍今已不可考知；周朴，浙江人，以溫州方言讀之，雲音ɦyoŋ，名音meŋ，平音beŋ，明音meŋ，傾音tɕ'yoŋ，文韻雲字與庚韻諸字同收舌根鼻音-ŋ。

4.元庚合韻

唐彥謙宿獨留一首以「城、門、村、渾、論」通押而元庚合韻。唐氏，山西人，今太原方音城讀作ts'əŋ，門讀作məŋ，村讀作ts'uŋ，渾讀作xuŋ，論讀作luŋ。元韻門、村、渾、論諸字與庚韻城字同收舌根鼻音韻尾-ŋ。

5.眞青庚合韻

呂巖絕句一首以「形、精、身」通押而眞、庚、青三韻通叶。今以呂巖本籍山西之方言考之，太原讀形爲ɕiŋ，讀精爲tɕiŋ，讀身爲səŋ，眞韻身字與庚青韻字形、精同收舌根鼻音-ŋ。

6.眞蒸合韻

李建勳送致仕郎中一首以「稜、銀、人、巡、親」通押而眞蒸合韻。李建勳，甘肅人，今以蘭州方音讀之，稜音lə̃，銀音iə̃，人音ʑə̃，巡音ɕyə̃，親音tɕiə̃，雖各字之韻尾鼻音已弱化，而由二韻同收-ə̃視之，則其混用亦可推知也。

故由上述之討論，可知晚唐部分方音舌尖鼻音韻尾-n與舌根鼻音韻尾-ŋ已混而不分矣！甚或部分方言兩類鼻音皆消失而成鼻化元音，亦非不可能者也。

第二節　晚唐律體詩通轉用韻與韻書之比較研究

隋書潘徽傳韻纂序云：「三蒼急就之流，微存章句，說文字林之屬，唯別體形；至於推聲尋韻，良爲疑混。酌古會今，未臻功要，末有李登聲類，呂靜韻集，始判清濁，纔分宮羽。」是知韻書乃爲推聲尋韻而作。潘石禪先生中國聲韻學云：

韻書旣由于推聲尋韻而起，察其原始，則有數端。首爲便利文人作詩文用韻之需要。蓋自漢代以來，文風大煽，魏晉以降，漸重音節。陸機論文，有聲音迭代，若五色相宣之言；范曄操觚，亦自矜辨宮商，識輕重。然選詞用字，非可隨手而得，因文字而類其聲音，編成一卷，以求便利，蓋亦事所必至者矣。次則爲明音讀，自倉頡以來，文字孳乳，日益蔓衍。研習經籍，誦讀爲難，而爾雅、倉頡僅爲訓詁及文字之淵藪，說文雖有讀若，但以說形爲主，非每字皆標舉其音讀，故韻書之起，明文字之音讀，亦爲重要之因素也。復次，則由於反切之發生。反切乃當時新興之標音方法，將所有之反語類聚而依類分部，即成韻書。陳蘭甫所謂『有反語而類聚之而成韻書，此自然之勢也』。

韻書既為詩文用韻而作，必然反映語音系統，語音不斷嬗變，韻書亦必不斷有所修正，如同用、通用、併韻是也。又因時代不同，語音亦必不同，是以韻書隨時而出；近人魏建功據隋志及各種著錄統計，共得韻書約百六七十種。然因時代久遠，鋒火連緜，保存不易，今能窺其全貌者，不可多得矣！

韻書既然反映語音系統，必能由韻書之分合，求得語音之轉變，進而探尋某一特定時期之語音，是以由格律森嚴不容出韻而有通轉用韻之晚唐律體，必能求得晚唐語音變化之大略。章太炎先生國故論衡音理論云：「廣韻所包，兼有古今方國之音，非並時同地得有聲埶二百六種也，昧其因革，操繩削以求之，由是侏離不可調達矣。」由於韻書包容方音，故純就韻書之離合探尋語音之變化，必有所不及，是以必藉方音之考查，補其不足；故本篇論韻，韻書、方音，兼採並行。

廣韻為今存最早亦最完備之韻書，而廣韻係承切韻而來，故廣韻所錄，雖酌古沿今，然其所謂今，當指隋唐時代之語音也。

封演聞見記云：

隋陸法言與顏魏諸公定南北音，撰為切韻，凡一萬二千一百五十八字，以為為文楷式；而先仙、刪山之類，分爲別韻，屬文之士，共苦其苛細。國初許敬宗等詳議，以其韻窄，奏合而用之；法言所謂『欲廣文路，自可清濁皆通』者也。

於是顧（炎武）、戴（震）諸家據此謂廣韻同用之注，係出唐人功令，或逕言出自許敬宗。然玉海云：

景德四年，龍圖待制戚綸等，承詔詳定考試聲韻，綸等以殿中丞丘雍所（定）切韻同用、獨用例及新定條例參定。（註一）

則廣韻同用之注應出丘雍而非許氏。馬宗霍先生唐人用韻考除舉唐書選舉志證之，更舉中唐以前詩歌校之，謂廣韻同用之注，絕非出自許氏；潘石禪先生中國聲韻學謂以大曆以前詩考之，不合者亦多，且「非獨私家吟詠，即應制亦有之」，今以晚唐律體考之，不合之處尤多，故知廣韻同用之注，當非即許氏奏請同用者也。

姑不論廣韻同用之注出自許氏亦或丘雍，屬文之士苦其苛細則一也。宋季以降，韻書運用，專注於詩文之應用，將注明同用之韻一一合併，於是演成近代之詩韻。張世祿中國音韻學史云：

其實陸法言切韻一派的韻書，分析韻部的詳密，原爲審音而設；自唐以來，作文之士已苦其苛細，所以爲著『欲廣文路』不得不有異部通用的例；廣韻二百六韻的韻目下所注明的同用、獨用，就是本著這種意旨，以備當時應試作文之用……這種異部通用的例，風行日久，成爲習尚，又加以實際語音演變的結果，隋唐韻書裏分析韻部，『以賞知音』的觀念，自然日就消失，似乎此等韻書，並非用來表示實際的音讀，而是專爲應試作文而設。於是由析趨混，由分趨合，本來注明通用的各部，自可併合爲一，即遇原爲注明不通用的窄韻，也加以併合。這樣說來，由二百六部併成一百七部，實在是因乎當時的時勢，爲切韻一派韻書自然演變的結果。

故知晚唐律體詩韻之通轉合用，乃實際語音演變之結果也。

唐代官韻，不可或得，許氏奏請韻窄合用又不詳其目，故廣韻同用之注雖疑爲宋初官韻而非唐人韻譜，論唐詩者仍多以廣韻爲準；蓋因廣韻係承隋唐韻書而來，且令廣韻同用之注出自宋人，亦必有所承襲，其因襲者則唐人韻譜也。

魏鶴山云：「除科舉外，閒賦之詩，不必一一以韻爲校。」潘石禪先生則云：「非獨私家吟咏，即應制亦有之。」故知詩人用韻，往往不守規律，鄰近旁韻，自可通轉，語音相近，雖非鄰韻，亦得合用，甚或以方音爲之，不拘定律，不避犯韻，發聲相通，即與通叶，可謂任意通叶，毫無規範。今執詩韻，以尋晚唐律體詩韻出入之蹟，歸納其通轉之條例如下：

一、東與冬通

二、江與陽轉聲通
三、支微齊通
又齊與灰轉聲通
四、魚與虞通
又魚與支轉聲通
五、佳與麻通
又佳與灰轉聲通
麻與歌轉聲通
灰與支微齊轉聲通
六、眞文元（魂痕）通
又眞與庚蒸侵轉聲通
元（元）與寒刪先通
元（魂痕）與庚轉聲通
七、寒刪先通
又寒與元轉聲通

刪與元轉聲通
先與鹽轉聲通
八、蕭肴豪通
九、庚青蒸通
又庚與眞文侵轉聲通
蒸與冬侵轉聲通
十、覃鹽咸通

通轉之說，源自南宋吳棫，吳棫韻補一書，專就廣韻二百六韻，注明「古通某」、「古轉聲通某」、「古通某或轉入某」（是謂韻補三例）。依吳氏所注通轉歸類，二百六韻共分九類如下：

1. 東（冬、鍾通，江或轉入。）
2. 支（脂之微齊灰通，佳、皆、咍轉聲通。）
3. 魚（虞模通）
4. 眞（諄臻殷痕耕庚清青蒸登侵通，文元魂轉聲通）
5. 先（僊鹽沾嚴凡通，寒桓刪山覃談咸銜轉聲通）

6.蕭（宵肴豪通）

7.歌（戈通，麻轉聲通）

8.陽（江唐通，庚耕清或轉入）

9.尤（侯幽通）

吳氏所注通轉，分合多疎，爲後世所詬病者，乃在其所采材料，漫無準則。陳振孫書錄解題評之曰：「自易、書、詩而下，以及本朝歐、蘇凡五十種，其聲韻與今不同者，皆入焉。」然其知援易、書、詩等韻文以求古音，則功不可沒。

今取吳棫韻補通轉之例，以較晚唐律體之通轉用韻，合者雖多，不合者亦復不少。如：一東部未見晚唐律體有江轉入者。二支部晚唐律體有佳與麻通，三魚部晚唐律體有魚與支轉聲通，四眞部晚唐律體有蒸與冬轉聲通，而韻補則無其例。又四眞部晚唐律體眞文元三韻互通，與庚青蒸侵則爲轉聲通。五先部晚唐律體以寒刪先互通，又寒與元，刪與元皆可轉聲通，先與鹽較遠合韻亦少，應爲轉聲通，故知韻補轉條例，雖與晚唐律體之通轉條例相近，終非晚唐合韻之準也。

清邵長蘅古今韻略例言云：「才老韻補於微齊韻下注古通支，於佳皆韻下注古轉聲通支，於灰咍韻下注灰通，咍轉，蓋謂微齊灰與支音，可以逕通，佳皆咍與支音，必聲轉而後通，今韻書中多有云某音轉某音者，正與此轉字同解，始悟通轉之分，不指用韻，原主音聲而言，逕通者曰通，聲轉而通者曰轉，其施於用則一也。」故古今韻略於吳氏之「轉聲通」、「轉入某」，盡曰「古通某」。茲錄古今韻略通轉條例於后：

1.東　古韻通二冬、三江
2.支　古韻通五微、八齊、九佳、十灰
3.魚　古韻通七虞
4.眞　古韻通十二文、十三元、十四寒、十五刪、一先
5.蕭　古韻通三肴、四豪
6.歌　古韻通六麻
7.陽　古韻通無
8.庚　古韻通九青、十蒸
9.尤　古韻通無
10.侵　古韻通十三覃、十四鹽、十五咸

按邵氏盡改吳棫之轉聲通，轉入某爲古通某，而於東、支、魚、蕭、歌、尤等部之互通，則同於韻補。其所別，四眞古今韻略以文元寒刪先通，即去韻補之庚青蒸侵而益之以寒刪先；

然今歸納晚唐律體，寒刪先與元韻之關係雖較庚青蒸侵爲近，而眞韻可與庚青蒸侵諸韻通叶則無疑，與寒刪先三韻反未見通轉之例，故邵氏眞部之通轉條例，亦非晚唐通例。至於庚青蒸三韻，邵氏自眞部分出，自成一系，雖較韻補妥當，却因不言與眞文元侵之通轉而稍失之。另古今韻略陽不通江，侵與覃鹽咸通而不與較近之眞、庚通，又與晚唐律體不合。故知古今韻略通轉之例，亦非晚唐律體用韻通轉之法也。

今坊間通行之詩韻有詩韻集成、詩韻合璧二者，二書於用韻通轉，一宗吳棫韻補而一宗古今韻略，然皆二家並列，茲引詩韻集成通轉條例於后：

上平聲

一東古通冬轉江，韻略通冬江。

二冬古通東。

三江古通陽。

四支古通微齊灰轉佳，韻略通微齊灰佳。

五微古通支。

六魚古通虞，韻略同。

七虞古通魚。

八齊古通支。

九佳古通支。

十灰古通支。

十一眞古通庚青蒸轉文元，韻略通文元寒刪先。

十二文古轉眞。

十三元古轉眞。

十四寒古轉先。

十五刪古通覃咸轉先。

下平聲

一先古通鹽轉寒刪。

二蕭古通肴豪，韻略同。

三肴古通蕭。

四豪古通蕭。

五歌古通麻，韻略通麻。

六麻古通歌。

七陽古通江轉庚，韻略獨用。

八庚古通眞，韻略通青蒸。

九青古通眞。

十蒸古通眞。

十一尤古獨用，韻略同。

十二侵古通眞，韻略通覃鹽咸。

十三覃古通删。

十四鹽古通先。

十五咸古通删。

故清代詩韻所註之通轉條例，亦受吳棫韻補之影響，若據之以考晚唐律體則往往不合，蓋因詩韻但就既有資料稍加發明，並未實際歸納晚唐律體，故不足據以考查晚唐律體之通轉用韻；而晚唐律體用韻，漫無檢制，方音相通即可互叶通轉，全然不爲韻書、科考所限；然尋其通轉之例，則可略考其語音變化之大要；法言切韻「因論南北是非，古今通塞」亦可於焉得知。又取晚唐律體通轉用韻以與宋詩相較，則「晚唐作俑，宋人濫觴」之跡，昭然可見。

【附註】

註一：今本玉海缺定字，據音韻學通論、中國音韻學史等補。

附錄　晚唐詩人里籍表

人名	里籍	今地名	附註
杜牧	京兆萬年	陝西長安	
許渾	丹陽	江蘇丹陽	
李商隱	懷州河內	河南沁陽	
喻鳧	毘陵	江蘇武進	
劉得仁			貴主之子
薛逢	蒲州河東	山西永濟	
趙嘏	山陽	江蘇淮安	
盧肇	袁州	江西宜春	
姚鵠	蜀	四川	

項斯	江東	雲南安寧	
馬戴	華州	陝西華縣	
孟遲	宜春	江西宜春	
王鐸	太原	山西太原	宰相播之從子
薛能	汾州	山西汾陽	
劉威	慎縣	安徽合肥	
崔元範	趙郡	河北趙縣	
于興宗	洛陽	河南洛陽	
韓琮			
柳珪	華原	陝西耀縣	公綽之孫
李群玉	澧州	湖南澧縣	
溫庭筠	太原	山西太原	
段成式	河南	河南洛陽	世客荊州
劉駕	江東	雲南安寧	
劉滄	魯	山東	

李頻	睦州壽昌	浙江壽昌	廬西山
李郢	長安	陝西長安	嘗寄家荊州
崔珏			
曹鄴	桂州	廣西桂林	
儲嗣宗			
于武陵			
鄭愚	番禺	廣東番禺	
霍總			
袁郊	朗山	河南確山	
高駢	幽州	河北大興	
于濆			
武瓘	貴池	安徽貴池	
公乘億	魏	河北大名	
汪遵	宣城	安徽宣城	
許棠	宣州涇縣	安徽涇縣	

林寬	侯官	福建閩侯
皮日休	襄陽	湖北襄陽
陸龜蒙	蘇州	江蘇吳縣
張賁	南陽	河南南陽
魏朴	毘陵	江蘇武進
鄭璧	吳	江蘇吳縣
司空圖	河中虞鄉	山西解縣
周繇	池州	安徽貴池
聶夷中	河東	山西永濟
張喬	池州	安徽貴池
曹唐	桂州	廣西桂林
來鵠	豫章	江西南昌
李山甫		
李咸用		
胡曾	邵陽	湖南寶慶

方干	新定	四川長寧	
羅鄴	餘杭	浙江餘杭	
羅隱	餘杭	浙江餘杭	
羅虬	臺州	浙江臨海	
鄭損			
牛嶠	隴西	甘肅隴西	
翁洮	睦州	浙江建德	
鄭啓	宜春	江西宜春	
溫憲	并州太原	山西太原	庭筠子
章碣	錢塘	浙江杭縣	孝標子
秦韜玉	京兆	陝西長安	
唐彥謙	并州	山西太原	
周朴	吳興	浙江吳興	
鄭谷	袁州	江西宜春	
許彬	睦州	浙江建德	

崔塗	江南	長江以南
韓偓	京兆萬年	陝西長安
吳融	越州山陰	浙江紹興
盧汝弼	蒲	山西蒲縣
王渙	睢陽	河南商邱
杜荀鶴	池州	安徽貴池
張道古	臨淄	山東臨淄
鄭準		
韋莊	杜陵	廣東陽江
王貞白	永豐	江西廣豐
張檳	清河	河北清河
翁承贊	閩	福建
黃滔	莆田	福建莆田
殷文圭	池州	安徽貴池
徐夤	莆田	福建莆田

崔道融	荊州	湖北江陵	
劉象	京兆	陝西長安	
楊凝式	華陰	陝西華陰	涉之子
曹松	舒州	安徽懷寧	
裴說			
李洞	京兆	陝西長安	
唐求	成都	四川成都	居蜀之味江山
于鄴	杜曲	陝西長安	
孫棨			
周曇			
李九齡	洛陽	河南洛陽	
胡宿			
王喦	蜀	四川	
捧劍僕			咸陽郭氏之僕
黃損	連州	廣東連縣	

和凝	鄆州須昌	山東東平	
王仁裕	天水	甘肅天水	
馮道	景城	河北獻縣	
李濤	京兆萬年	陝西長安	
盧士衡			
韓熙載	北海	山東益都	
潘佑	幽州	河北大興	
李建勳	隴西	甘肅隴西	
孟賓于	連州	廣東連縣	
廖匡圖	虔州	江西贛縣	
張泌	淮南	安徽壽縣	
沈彬	高安	江西高安	
伍喬	廬江	安徽廬江	
陳陶	嶺南	五嶺之南	一云鄱陽，一云劍浦
李中	隴西	甘肅隴西	

徐鉉	廣陵	江蘇江都	
徐鍇	廣陵	江蘇江都	
查文徽	歙州休寧	安徽休寧	
李詢			
李家明	廬州西昌	四川安縣	
孟貫	建安	福建建甌	
成彥雄			
馮涓	東陽	浙江金華	
楊鼎夫	成都	四川成都	
詹敦仁	固始	河南固始	
張立	新津	四川新津	
劉昭禹	桂陽	廣東連縣	一云婺州人
王元	桂林	廣西象縣	
楊夔			
譚用之			

王周			
劉兼	長安	陝西長安	
孫元晏			
安錡			一作鄭錡
韓溉	江南	長江以南	
何贊			
張仲謀			
李建業			
曹脩古			
潘佐			
蔣吉			
周濆			
吉師老			
姚揆			
劉望			

魏兼恕			
鄭蕡			
鄭陟			
梁補闕			
同谷子			
驪山遊人			
吳越人			
無名氏			
李舜賢	梓州	四川三臺	
花蕊夫人	青青城	四川灌縣	
崔素娥			韋洵美妾
鮑四弦			鮑生妾
魚玄機	長安	陝西長安	
常達	海隅		發跡河陽大福山
子蘭			

卿雲			
貫休	蘭谿	浙江蘭谿	
齊己	潭州益陽	湖南益陽	
尚須	汾州	山西汾陽	尚書薛能之宗人
棲蟾			
曇域			
處默			
無作	姑蘇	江蘇吳縣	吳越四明山僧
杜光庭	括蒼	浙江麗水	
鄭遨	滑州白馬	河南滑縣	
程紫霄			
彭曉	永康	浙江永康	
呂巖	河中府永樂縣	山西永濟	
張辭			
蘇檢妻	吳	江蘇吳縣	蘇檢者吳人

金車美人		
明器婢		
妙香		
新林驛女		
白衣女		
張但胤		
蔣貽恭	江淮	江蘇安徽
崔櫓		
孫魴	南昌	江西南昌
扈載	范陽	河北涿縣
可朋	丹稜	四川丹稜
虛中	宜春	江西宜春
劉乙		

晚唐詩人里籍分佈圖

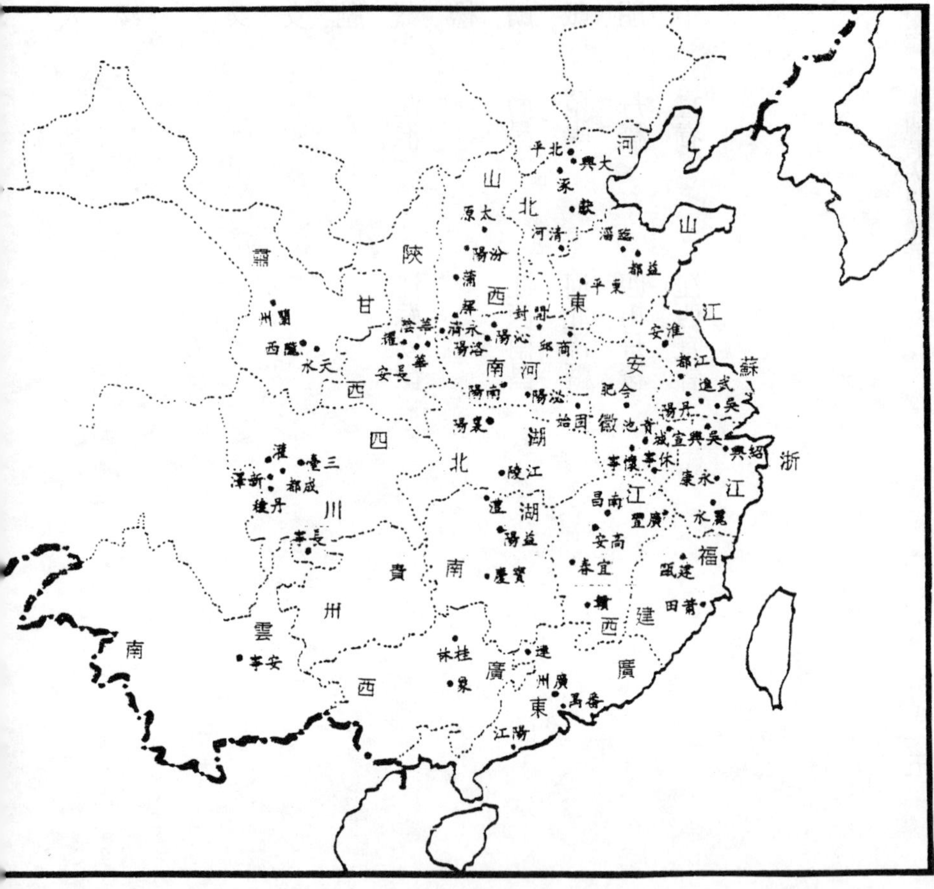

本篇引用書目

一、史料之部

1.隋書　魏　徵　藝文武英殿刊本
2.舊唐書　劉　昫　藝文武英殿刊本
3.唐書　歐陽修　藝文武英殿刊本
4.文心雕龍　劉　勰　粹文堂書局
5.封氏聞見記　封　演　廣文書局
6.六一詩話　歐陽修　藝文歷代詩話本
7.滄浪詩話　嚴　羽　正生書局
8.緗素雜記　黃朝英　文海學海類編本
9.玉海　王應麟　華文慶元路儒學刊本

10.唐詩品彙　高　棅　商務四庫珍本
11.藝圃擷餘　王世懋　文海學海類編本
12.四溟詩話　謝　榛　藝文續歷代詩話本
13.唐詩英華　顧有孝　商務善本叢刊本
14.圍爐詩話　吳　喬　義士借月山房彙鈔本
15.詩學纂聞　汪師韓　藝文清詩話本
16.唐音審體　錢木庵　藝文清詩話本
17.野鴻詩的　黃子雲　藝文清詩話本
18.香祖筆記　王士禛　新興書局
19.唐詩研究　胡雲翼　華聯出版社
20.中國文學史　胡雲翼　三民書局
21.白話文學史　胡　適　文光圖書公司
22.中國文學史　李日剛　白雲書屋
23.唐詩概論　蘇雪林　商務印書館
24.中國詩論　葛連祥　作者自印本

25.中國文學史　葉慶炳　作者自印本

26.中國詩史　葛賢寧　中華文化出版事業

二、音學之部

1.廣韻　陳彭年等　藝文澤存堂本

2.禮部韻略　中華四庫叢刊本

3.韻補　吳棫　廣文音韻學叢本

4.毛詩古音考　陳第　廣文音韻學叢書本

5.音學五書　顧炎武　廣文音韻學叢書本

6.佩文韻府　商務印書館

7.古今韻略　邵長蘅　商務國學基本叢書本

8.詩韻集成　余照　華聯出版社

9.增廣詩韻全璧　文化圖書公司

10.十駕齋養新錄　錢大昕　廣文書局

11.國故論衡　章炳麟　世界書局章氏叢書本

12.中國音韻學研究　高本漢著李方桂、趙元任譯　商務印書館

13.音韻學通論　馬宗霍　鼎文書局
14.中國詩律研究　王　力　宏業書局
15.中國音韻學　王　力　泰順書局
16.漢語音韻　王　力　弘道書局
17.古代漢語　王　力
18.漢語史稿　王　力
19.古聲韻討論集　楊樹達　學生書局
20.中國音韻學史　張世祿　商務印書館
21.漢語音韻學　董同龢　王守京發行本
22.中國聲韻學通論　林　尹　世界書局
23.高明小學論叢　高　明　黎明書店
24.中國聲韻學　潘重規、陳紹棠合著　東大圖書公司
25.古音學發微　陳新雄　嘉新文化基金會
26.音略證補　陳新雄　文史哲出版社
27.宋代律體用韻之研究　耿志堅　政大碩士論文

28.漢語方音字匯

三、詩集之部

1.全唐詩　清聖祖　宇業書局、復興書局
2.樊川集　杜　牧　中華四部備要本
3.丁卯集　許　渾　商務四庫叢刊本
4.李義山詩集　李商隱　商務四庫叢刊本
5.李群玉詩集　李群玉　商務四庫叢刊本
6.溫庭筠詩集　溫庭筠　商務四庫叢刊本
7.皮子文藪　皮日休　商務四庫叢刊本
8.唐甫里先生文集　陸龜蒙　商務四庫叢刊本
9.司空表聖詩集　司空圖　商務四庫叢刊本
10.披沙集　李咸用　商務四庫叢刊本
11.甲乙集　羅　隱　商務四庫叢刊本
12.玉山樵人香奩集　韓　偓　商務四庫叢刊本
13.浣花集　韋　莊　商務四庫叢刊本

14.唐黃御史集　黃　滔　商務四庫叢刊本
15.碧雲集　李　中　商務四庫叢刊本
16.騎省集　徐　鉉　中華四庫備要本
17.魚玄機詩　魚玄機　中華四庫備要本
18.禪月集　貫　休　商務四庫叢刊本
19.白蓮集　齊　己　商務四庫叢刊本
20.廣成集　杜光庭　商務四庫叢刊本